Anton
…er

…Karl
…ebe

…ild
…ono
…raphien

rowohlts
monographien

HERAUSGEGEBEN

VON

KURT KUSENBERG

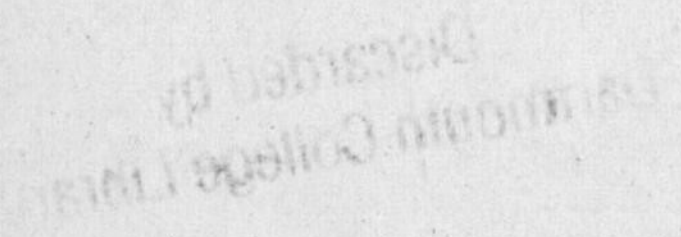

ANTON BRUCKNER

IN
SELBSTZEUGNISSEN
UND
BILDDOKUMENTEN

DARGESTELLT
VON
KARL GREBE

ROWOHLT

Dieser Band wurde eigens für «rowohlts monographien» geschrieben
Den Anhang besorgte der Autor,
die Bibliographie wurde bearbeitet von Annemarie Eckhoff
Herausgeber: Kurt Kusenberg · Redaktion: Beate Möhring
Schlußredaktion: K. A. Eberle
Umschlagentwurf: Werner Rebhuhn
Vorderseite: Anton Bruckner. Altersbild.
Österreichische Nationalbibliothek
Rückseite: Bruckner und Wagner. Scherenschnitt von Otto Böhler

Veröffentlicht im Rowohlt Taschenbuch Verlag GmbH,
Reinbek bei Hamburg, Juli 1972

Gesetzt aus der Linotype-Aldus-Buchschrift
und der Palatino (D. Stempel AG)
Gesamtherstellung Clausen & Bosse, Leck/Schleswig
Printed in Germany
ISBN 3 499 50190 2

INHALT

Anton Bruckner. Büste von Viktor Tilgner

VORWORT

Die Bekanntschaft mit Bruckners Musik verdankte ich Arthur Nikisch, der als Leipziger Gewandhaus-Dirigent die neun Sinfonien des Meisters von St. Florian im Konzertwinter 1919/20 zum erstenmal zyklisch aufführte. Vielleicht war es ein Glück, daß ich, rein zufällig, erst mit der *Vierten Sinfonie* an den Aufführungen teilzunehmen begann, jedenfalls wurde mir durch dieses Werk ein musikalisches Erlebnis von einem Bejahungszwang zuteil, dessen Unbedingtheit Begründung forderte. August Halms Buch «Die Symphonie Anton Bruckners» gab den Anstoß zu Erkenntnis und Einsicht. Die Informationen über Bruckners Leben verdanke ich, wie alle, die über Bruckner schreiben, der von August Göllerich begonnenen und von Max Auer fortgeführten Standardbiographie. Dank schulde ich der Diplom-Bibliothekarin Annemarie Eckhoff für die Bearbeitung der Bibliographie sowie der Musikbücherei der Hamburger Öffentlichen Bücherhallen und dem Musikwissenschaftlichen Institut der Universität Hamburg für vielfache Unterstützung. Ich widme das kleine Buch meiner Bruckner-freundlichen Familie.

DAS PROBLEM BRUCKNER

Die Beschreibung von Anton Bruckners Werk läßt sich nicht in die Erzählung seines Lebens einbauen. Leben und Werk verraten nichts voneinander. Ihn darzustellen, heißt zwei nicht miteinander korrespondierende Ebenen betreten, in zwei verschiedene Dimensionen vorzudringen, deren Schnittfläche die schmale Spur von Bruckners irdischer Existenz anzeigt. Wenn sein Werk hier als extrem un-irdisch bezeichnet wird, dann nur in dem Sinn, daß es extrem nicht-biographisch ist. Das Leben sagt nichts über das Werk aus, das Werk nichts über das Leben, von dieser unbequemen Tatsache muß die Darstellung ausgehen.

Johannes Brahms [1*], der jüngere Zeitgenosse, mit dem Bruckner zu Lebzeiten und noch weit nachwirkend konfrontiert wurde, war, möglicherweise mehr noch als Bruckner, ein bekenntnisscheuer Mensch, einer, der empfindlich auf jede Verletzung der Grenzen seines persönlichen Bereichs reagierte. Und überdies war auch er, wie Bruckner, ein Meister der absoluten Musik, einer Komposition mithin, die den Anspruch erfüllt, ohne Grenzüberschreitungen der Künste, unter Verzicht auf assoziative Hilfsmittel nur durch sich selbst zu bestehen. Trotzdem integriert sich dieses so autonome Schaffen ganz in den Ablauf eines Lebens, dessen Beschreibung ohne den Hinweis auf das jeweilig entstandene Werk unzureichend, geradezu irreführend wäre. Werk und Leben sind aufeinander bezogen.

---

* Die hochgestellten Ziffern verweisen auf die Anmerkungen S. 134 f.

Johannes Brahms

Wer bei Anton Bruckner ähnliche Beziehungen sucht, der wird nicht nur enttäuscht, sondern dazu verführt, von der unauffälligen und begrenzt erscheinenden Person des Komponisten ungünstige, jedenfalls verfehlte Rückschlüsse auf das Werk zu ziehen. Es wäre allzu einfach, wollte man Bruckner rückwirkend altmeisterliche Anonymität wohlwollend zubilligen, um mit dem Problem seiner Dualität fertig zu werden. Vollends aussichtslos ist der Versuch, ihm vorausschauend jene Versachlichung des kompositorischen Prozesses anzudichten, die im späten 20. Jahrhundert die Trennung von Person und Werk so leicht macht. Man muß den Versuch machen, Bruckner sowohl in seiner Zeit wie außerhalb ihrer zu sehen, für ihn zwei getrennte Formeln zu finden. Eine, die das Werk voraussetzungslos, ohne schamhaften Blick auf Person oder auf Zeitumstände interpretiert, und dann, wiederum ohne beschönigenden Hinblick auf das Werk, die Formel seiner Person, seines Lebens, seiner Psyche. Es ist zu erwarten, daß diese Formeln sich ehestens dann als kongruent erweisen, wenn sie unabhängig voneinander gesucht und gefunden werden. Die Reihenfolge wäre also gleichgültig; wenn hier, wie üblich, mit der Biographie begonnen wird, dann, um die Tradition dieser Monographien zu wahren. Und in der Hoffnung, es könne der bebilderte Lebensbericht, wie unauffällig er sei, solche Leser, denen die fachlichen Dinge der Musik ferner stehen, dazu verführen, sich auch mit der Abstraktion der Werkbeschreibungen einzulassen. Vielleicht werden sie ermutigt durch die Prognose, daß Werkanalysen bei Bruckner vielfach aufregende Befunde zutage fördern, wie auch, daß die fachlichen Erörterungen unversehens in spekulative Erwägungen einmünden und an Geheimnisse rühren, die jeden angehen, der überhaupt dafür empfänglich ist.

Geheimnisse? Die Vokabel mahnt zur Vorsicht angesichts vieler beschwörender Versuche, Bruckners Werk so in den Schimmer der Transzendenz zu tauchen, als gälte es, Schwächen und Mängel der Komposition durch eine Art höherer Weihe zu verschleiern. Nichts dergleichen ist hier beabsichtigt. Insoweit Urteile gefällt und Bewertungen vorgenommen werden, müssen sie sich auf Grund klar definierter Kriterien aus dem kompositorischen Tatbestand zwingend ergeben. Nun ist ein Buch kein Ersatz für das Hören, Erleben und Erkennen von Musik, aber das bejahende Erlebnis kann durch den Nachweis von Wert und Qualität, wie er von einem Buch verlangt werden muß, bestätigt und bei nochmaligem Hören potenziert werden. Daß auch das begründete Urteil keine Allgemeingültigkeit besitzt, ist eine Binsenwahrheit. Sie beruht auf der Erfahrung, daß nicht nur Menschen, nicht nur Denksysteme, sondern auch schöpferische Phänomene aneinander vorbeireden, so als beruhten sie auf inkommensurablen Urphänomenen. Diese Erfahrung allerdings, die ist hinzunehmen, und bei Bruckner tritt solche Inkommensurabilität besonders deutlich hervor. Es gibt Musiker und Musikfreunde von hohem Niveau, von ausgeprägter Urteilskraft, denen seine Musik gar nichts bedeutet, die ihn total ablehnen. Und ebenso gibt es Musiker und Musikfreunde von nicht geringerer Kompetenz, denen seine Musik ganz Entscheidendes bedeutet. Hier sprechen primär Divergenzen in der Tiefenschicht mit, die sich erst sekundär zu begründen suchen. Die damaligen Kämpfe um Bruckner behalten ihre Motivation auch dann, wenn man sie aus der Verstrickung in den künstlerischen Alltag jener Zeit herauslöst. Die größte Toleranz, wie sie in der Praxis heutiger Programmbildung ja geübt wird, setzt nicht die Inkommensurabilität in der Tiefenschicht außer Kraft. Eine Befragung von Bruckner-Freunden und Bruckner-Gegnern ergab eindeutig, daß man in der Beziehung zu seiner Musik entweder ganz «innerhalb» oder ganz «außerhalb» ist, ein Befund, der, ohne einen Vorzug oder ein Manko anzuzeigen, wiederum hinzunehmen ist. Über das «Warum» läßt sich natürlich diskutieren. Auf diesem Befund beruht die Einseitigkeit der Bruckner-Literatur. Niemand soll glauben, diese Feststellungen würden voreilig getroffen, um auszuweichen, um vorbeugend Urteile zu relativieren. Davon ist nicht die Rede. Allerdings, ablehnende Urteile sollten ebenso begründet sein wie zustimmende.

Bruckner-Anerkennung war nie so selbstverständlich wie die Anerkennung Bachs oder der Klassiker, sogar Komponisten von mittlerem Rang erfreuen sich einer vergleichsweise gesicherten Bewertung. Die Bruckner-Einschätzung war von Anfang an mit einem Geburtsfehler behaftet, so als stünde nur das positive oder das negative Mißverständnis zur Wahl. In jüngster Zeit versuchte Friedrich Blume in der Enzyklopädie «Musik in Geschichte und Gegenwart» Bruckner aus der Fessel der Vorurteile zu lösen, ihn unter wissenschaftlich loyaler Abwägung aller Faktoren aus eingetretener Distanz objektiv und sozusagen «gerecht» zu deuten und zu bewerten. Merkwürdig, wie dieser höchst ehrenhafte und höchst intelligente Versuch sein Objekt verfehlt, einem vernünftigen Vergleichsvorschlag ähnlich, der von keiner der Parteien akzeptiert werden kann. Man muß es anders versuchen.

KINDHEIT

Anton Bruckner war Bürger jenes Kaiserreichs Österreich-Ungarn, dessen Untergang mit dem Ausbruch des Ersten Weltkriegs besiegelt wurde. Heutige Leser stellen sich unter «Österreich» den Bundesstaat vor, der nach Auflösung jener in bezug auf Volkstum und Nationalität so komplexen Doppelmonarchie als ein in sprachlichen und politischen Grenzen reduziertes Staatswesen übrigblieb. Aber selbst innerhalb dieses verengten und neutralisierten Raumes, der aus den großen Spannungsfeldern herausgenommen wurde, erscheint das Bundesland Oberösterreich, dem Bruckner entstammte, immer noch wie eine Insel der Unauffälligkeit, obwohl es an relativer Bedeutung gewann und erfolgreich nach Eigenwertigkeit strebte. Wie gänzlich unauffällig muß diese Provinz damals gewesen sein, als Wien nicht so sehr mit Linz beschäftigt war, sondern sich mit den nationalen Zentren Budapest und Prag auseinandersetzen mußte. Das war, als Österreichs Grenze noch südlich von Trient verlief, seine Flotte die Adria beherrschte und österreichische Garnisonen in Galizien die Grenze gegen Rußland schützen sollten. Bruckner war also Bürger einer Großmacht, die in Europa, dem damaligen Brennpunkt der Weltpolitik, entscheidend mitsprach. Aber sein Habitus wurde, wenn man vorerst von den Rätseln seiner schöpferischen Persönlichkeit absehen darf, ungleich mehr geprägt von der Unauffälligkeit seiner Heimat als durch das geschichtliche, politische und auch intellektuell-künstlerische Profil des Staates mit der großen Vergangenheit, dessen Bürger er war.

Immer auf Bruckners persönlichen Habitus bezogen, darf man Oberösterreich sehen als ein Land ohne heroischen Hintergrund, ohne schroffe Gegensätze, sei es der Natur, sei es der Gesellschaft. Ein kleinbürgerlich bäuerliches Land, dem die Spannungen sozialer und wirtschaftlicher Gegensätze erspart blieben, aber auch eines, das verhältnismäßig wenige Persönlichkeiten als Vertreter von «Größe» oder «Macht» in die Zentren von Politik, Wirtschaft und Kultur entsandte. Ein zufriedenes, in sich selbst genügsames Land vermutlich,

Das Geburtshaus in Ansfelden

dessen Bewohnern Aufruhr ebenso fern lag wie Unterdrückung oder gar Gewalttätigkeit. Oberösterreich hat sich nicht auffallend an der «Geschichte» beteiligt. Heute noch liegt es «zwischen» Wien und Salzburg, «vor» den Gebirgsländern mit ihren alpinen Sensationen. Bruckner hat den Habitus eines Oberösterreichers nie abgelegt, die Beschreibung der Lebensstadien, die er in bescheidenem Aufstieg innerhalb dieses friedlichen Landes durchmaß, verführt dazu, trügerisch Idyllen zu zeichnen. Diese Beschreibung erheischt stete Vorausschau auf das in weiter Ferne liegende Ziel, dem sich Bruckner in den gedehnten Intervallen einer immer größer werdenden Spannung näherte.

Das Dorf Ansfelden, in dem Anton Bruckner am 4. September 1824 geboren wurde, gehört zum Traun-Kreis. Nach Linz, der Landeshauptstadt, und nach St. Florian, dessen Stift Ansfelden geistlich unterstellt war, gelangte man damals in mäßigen Fußwanderungen, die an Obsthalden und Weizenäckern entlang durch eine freundliche Gartenlandschaft führten. Ansfelden liegt ganz inmitten eines Bezirks, der wiederum, ohne deswegen Zentrum zu sein, wie eingebettet ist in die größere österreichische Heimat. Bruckners Geburtshaus, nicht ärmlich, aber schlicht, war der Kirche eng benachbart. Mit aller Vorsicht möchte man sagen, daß er aus einem Milieu kam, das nicht Verlorenheit, sondern Geborgenheit als Grundgefühl schenkte. Ein Milieu, in dem überdies die Zugehörigkeit zur katholischen Kirche eine durch keine konfessionellen Spannungen belastete Selbstverständlichkeit war. Mit solchen Feststellungen, die natürlich für

Franz Schubert. Aquarell von W. A. Rieder

viele andere Menschen ebenso zutreffen, klingen Motive an, die später in Bruckners Musik sublimiert wurden. Bruckners Musik hat, wie auch die Musik Schuberts [2], landschaftliche Züge, die, sozusagen als Ersatz für individuell-psychologische Motivationen, ihre «Herkunft» verraten. Es hätte keinen Sinn, dieses Milieu rückblickend zu idealisieren. Kenner des Menschenschlages, dem Bruckner entstammte, konstatierten, vielleicht als Äquivalent jenes Mangels an Größe, jenes Verzichtes auf Macht, eine Auffälligkeit im verschwiegenen Persönlichkeitsbereich, eine Neigung zur Skurrilität, zum Eigensinn, eine Anwandlung von Melancholie und die Bereitschaft zu einer Verzagtheit, die in ohnmächtiges Aufbrausen umschlagen kann. Härte war so selten wie die Weichheit, die Härte voraussetzt. Solche Züge hat Bruckner in sein persönliches Leben mitgenommen, er hat sie auch in der Großstadt nicht abgeschliffen. Der Versuch, diese Züge in seinem Werk nachzuweisen, konnte nur zu Mißverständnissen führen, die wiederum den Blick auf den objektiven Befund seiner Komposition verstellten.

Bruckner wurde in der bescheidenen Dienstwohnung eines Schulhauses geboren, Vater und Großvater waren Lehrer von Beruf. Die soziale Einschätzung des Dorfschullehrers war damals eine sehr relative. Ostpreußische Gutsbesitzer von Adel pflegten auf den Lehrer ihrer Dorfschule mit Geringschätzung herabzublicken. In Oberösterreich, einer dörflichen Landschaft, die den Typus des Herrenmenschen nicht kannte, in der allenfalls höhere Geistlichkeit und Bürokratie eine milde Herrschaft ausübten, war der Dorfschullehrer zwar gering besoldet, dennoch keine gedrückte, eher eine geachtete Person. Er vermittelte Religion, Bildung, und er vermittelte Musik. Es war selbstverständlich, daß der junge Josef Anton Bruckner ebenfalls auf den Beruf des Lehrers vorbereitet wurde, wie auch, daß seine musikalischen Anlagen durch kirchliche Chorpraxis, durch Orgel- und Violinspiel und schließlich durch die bescheidenen Anfänge eines altmodisch kantorenhaften Kompositionsunterrichts geweckt und gefördert wurden. Die künstlerische Bildung seiner Zeit lernte er allenfalls vom Hörensagen kennen. An den Musikerberuf dachte kein Mensch, am wenigsten Bruckner selbst. Nie forderte er der Musik wegen den Widerstand der Umwelt heraus, man mußte ihm zureden.

Er hing liebevoll an Eltern und Geschwistern, von denen ihn der Bruder Ignaz und die Schwester Rosalie überlebten, und er löste sich nur zögernd von Milieu und Landschaft, als er, bereits 44 Jahre alt, den Schritt in die Musikstadt Wien wagte. Nach seinem Tod führte ihn Pietät wieder in die Heimat zurück. Anders als der Norddeutsche Johannes Brahms blieb der Österreicher Bruckner in Wien ein Gast, ein provisorisch behauster Fremdling, der nie ganz dazugehörte. Seine Heimat war im Grunde weder hier noch dort, sie war «nicht von dieser Welt», man darf sie stellvertretend in St. Florian suchen, dort, in der Stiftskirche, in der er beigesetzt wurde. Nur, er mußte bei Lebzeiten mit einer Welt fertig werden, für die er nicht gemacht war und für die er nicht erzogen wurde.

Man darf den Milieukonflikt Bruckners nicht unterschätzen, aber auch nicht falsch interpretieren. Es gibt zahlreiche Beispiele von jungen Genies, die ebenfalls dem dörflichen Milieu entstammten, die sich aber, ohne dieses etwa zu verleugnen, von ihm rechtzeitig lösten, um den Kampf aufzunehmen, um sich in der Arena der großen Welt durchzufechten. Auch wenn sie nicht von Natur aus Dompteure der Macht waren, so blieb ihnen doch gar nichts anderes übrig, als sich in den großen Städten zu behaupten, die im 19. Jahrhundert nun einmal zum ausschließlichen Schauplatz von Kunst geworden waren, insbesondere von Musik. Die Zeiten, in denen ein bescheidenes Kantorenamt einem musikalischen Genie Existenz und Wirkung hätte bieten können, waren längst vorbei. Für Bruckner war das Musikleben Wiens kein Objekt des Ehrgeizes, kein lockender Anreiz zur Machtprobe, eher eine gefahrvolle, beängstigende, aber nun einmal nicht zu übergehende Instanz der großen Prüfung. Wollte er seine sinfonische Mission überhaupt realisieren, dann mußte er den Gang nach Wien antreten. Nicht hochfahrender Ehrgeiz des Genies kollidierte mit dem nicht weniger ausgeprägten Machtbewußtsein des Wiener Musiklebens, der bescheidene Habitus des halb demütigen, halb eigensinnigen Provinzlers paßte einfach nicht in die große Welt.

Bruckner war es weder gegeben, in dieser Welt zu herrschen, noch sich ihr geschmeidig anzupassen. Dieser Konflikt hat ihn gequält.

Von diesem Konflikt zwischen Herkunft, Bestimmung und Laufbahn war erstaunlich lange nichts zu spüren. Bewährte Interpretationen wie die, Bruckner sei ein Spätentwickler gewesen, treffen seine Anfangssituation nicht wirklich. Auch Vergleiche mit anderen Komponisten verfangen nicht so recht. Schubert, der gleich ihm zur Rasse der «Wehrlosen» gehörte, der in bezug auf elterliches Milieu, persönliche Züge und musikalische Merkmale Bruckner am nächsten verwandt erscheint, hatte eine ganz andere Ausgangsposition. Er war frühgenial und er wuchs in der zwar drückenden, aber wiederum anregenden Nachbarschaft Beethovens [3] auf. Musik und Dichtung seiner Zeit strömten unmittelbar auf ihn ein, in dem Freundeskreis, dem er angehörte, wurden künstlerische Probleme diskutiert, mag er auch nur ein stiller Zuhörer gewesen sein. Haydn [4], in ferner Provinz geboren, wurde schon als Kind nach Wien verschickt. Es blieb ihm, der mit Schläue und Geschick begabt war und trotz kleinbürgerlicher Herkunft angeborene Lebensklugheit bewies, gar keine andere Wahl, als sich erst einmal mühselig dort zu behaupten, wo er später als Fürst der Musik gefeiert wurde. Gewiß, Glück kam ihm zu Hilfe. Bruckners Situation war, mit solchen Voraussetzungen verglichen, geradezu hoffnungslos. Nicht materiell, aber hoffnungslos in bezug auf Konstitution und Erziehung. Es fehlte ihm nicht an Freunden, Gönnern und Förderern, fast ist man versucht zu sagen, er hätte zu viele Förderer gehabt, aber zu wenig von dem, was Förderung erst wirksam macht. Ihm fehlte jene strikte, unbeirrbare Selbstsicherheit, die Brahms so vorbildlich mit Bescheidenheit zu verbinden wußte. Bruckners Bescheidenheit war einseitig, sie hinkte ein wenig, sie wirkte auf die Umwelt wie eine Schwäche. Sie verführte dazu, Bruckner als Person nicht ganz ernst zu nehmen, ihn entweder zu bemitleiden oder zu belächeln. Niemand hätte je riskiert, Brahms' Bescheidenheit mißzuverstehen. Anders Bruckner, ihm ging gänzlich der zielstrebige, energische oder gegebenenfalls rücksichtslose Wille ab, seine schöpferische Leistung in der Realität des damaligen Musiklebens, wo sonst, durchzusetzen. Ganz zu schweigen von der Kunst des Taktierens, vom Raffinement der Intrige, die in Wien wie ein Kunstgriff der Karriere geradezu erwartet wird. Er bettelte, statt zu fordern, zu bestimmen. Im nach-romantischen 19. Jahrhundert gehörte zur Laufbahn des Sinfonikers Macht und noch einmal Macht, Gustav Mahlers [5] Entwicklung bewies solches schlüssig. Kein anderer Komponist war weiter entfernt von der Macht als Bruckner, dessen Kindheit und Jugend alles andere war als eine «Hohe Schule der Macht».

Kindheit und Jugend Bruckners waren nicht frei von Schwierigkeiten, Problemen und Anfechtungen, aber sie blieben verschont von harten Kämpfen oder gar Katastrophen. Dieses harmlose und gutartige Milieu war sozusagen löblich, jedoch keineswegs geeignet, um einen Künstler auf den großstädtischen Kampf um Existenz und Erfolg vor-

Ludwig van Beethoven. Gemälde von Ferdinand Waldmüller

zubereiten, geschweige denn, ihn für die bösartigen Auseinandersetzungen auszurüsten, die das Wiener Musikleben in den für Bruckner entscheidenden Jahren vergifteten. Ein Nichtschwimmer wurde in den Strudel gerissen. Bruckner war ein körperlich gesundes und ausgelassenes Kind von gedrungener Statur, das ohne systematische Erziehung in einer friedlichen Welt aufwuchs, innerhalb deren nicht pädagogische Autorität, sondern die fromme Anerkennung kirchlicher Gebote die Grenzen des Verhaltens bestimmte. Was ihn von den Geschwistern und Spielgefährten unterschied, war eine unwägbare Ausstrahlung, die vom Pfarrer und von sensiblen Beobachtern bestätigt wurde. Seine frühe musikalische Begabung äußerte sich im Violinspiel und darin, daß er schon als Kind stellvertretend die Orgel spielen konnte. Diese Frühbegabung war frei von jener sensationellen Artistik, die, woran ohnehin niemand dachte, zur Ausbeutung hätte reizen können. Wichtiger noch erscheint die schon für die Kindheit bezeugte und offenkundig tief anrührende Empfänglichkeit für Musik. Im nah gelegenen St. Florian dem Orgelspiel zu lauschen oder einer Festmesse beizuwohnen war ihm wichtiger, als mit seinesgleichen zu spielen. Musik war eine geistige Macht, die schon das Kind in rätselhaften Tiefenschichten erreichte. Wenn Vater Bruckner, der ja als Lehrer und Mesner auch mit Musik zu tun hatte, die Begabung seines Kindes förderte, dann ohne Hintergedanken, einzig unter dem

Joseph Haydn. Gemälde von Ludwig Seehaas

Gebot von Liebe, Frömmigkeit und Pflicht. Was gänzlich zu fehlen schien war der Ehrgeiz. Ehrgeiz ist eine Voraussetzung der Macht, Macht aber war im Brucknerschen Lebenskreis ein unbekanntes Motiv. Man kann die Technik der Macht lernen, Bruckner jedenfalls wurde sie nie gelehrt. Als er sie hätte brauchen können, war es zu spät.

Mit sechs Jahren kam Anton Bruckner in die Schule und bewährte sich als fleißiger Schüler, der vorzeitig in die Oberklasse versetzt wurde. Er lernte und lehrte insofern gleichzeitig, als er dem Vater half, die noch jüngeren Schüler zu beaufsichtigen. Nachdem der kleine Schulgehilfe im Sommer 1833 die Firmung empfangen hatte, faßte der Vater einen bemerkenswerten Entschluß. Nicht daß er den begabten Sohn Musik studieren lassen wollte, davon war nicht die Rede, der Lehrerberuf stand fest. Aber er wünschte, daß die musikalische Begabung in die Pflege einer kompetenten Persönlichkeit kam. Er gab ihn in die Obhut von Johann Baptist Weiß [6], der in dem Dorf Hörsching bei Linz die Schule leitete und als eifriger Musiker geachtet wurde. Überdies war er mit den Bruckners entfernt verschwägert. Ein Bruder des Lehrers Weiß genoß als guter Orgelspieler provinziellen Ruhm, ein öffentliches Konzert in Wien wurde zum Höhepunkt seiner Laufbahn. In Hörsching vervollständigte Anton Bruckner seine Schulbildung. Was aber für seine Entwicklung wichtiger war: er lernte die Orgel durch unermüdlich fleißige Übung perfekt spielen, er betrieb die Anfänge der Komposition sachgerecht, und er begann durch die Kenntnis kirchenmusikalischer Werke von Bach, Händel, Haydn, Mozart und kleineren Meistern seinen musikalischen Horizont aufzubauen. Dieser Horizont war eng und einseitig, er wurde bestimmt von den Bedürfnissen einer bescheidenen Kirchenmusik, diktiert von den handwerklichen Vorstellungen eines komponierenden Kantors und Lehrers. Diese vorläufige Enge des Horizontes bedeutete ein Manko, der junge Bruckner hatte nicht die geringste Ahnung davon, was musikalisch in der Welt vor sich ging. Man kann, vielleicht etwas spekulativ, in diesem Umstand insofern einen Vorteil sehen, als die in unendlich langsam fortschreitendem Prozeß aus Tiefenschichten hervorwachsende schöpferische Individualität Bruckners vor der Beunruhigung durch die zweifelhafte Aktualität des musikalischen Alltags bewahrt blieb. Die, zugegeben, etwas rätselvolle, aber kaum ganz abweisbare Vorstellung von einer schützenden Schicht, die Bruckner zeitlebens unsichtbar umgab, findet in dieser frühen Situation ihre erste Bestätigung.

In Hörsching schrieb der zwölfjährige Bruckner seine ersten Kompositionen nieder. Die *Vier Präludien in Es-Dur für Orgel* bieten sich dar als Mischung von Tonsatzübung und harmonischer Verzükkung. In dieser Mischung sind sie zwar charakteristisch, jedoch, sofern man den Maßstab späterer Meisterschaft anlegt, nicht beweiskräftig für auffallende Begabung oder gar Genie. Auch in ein gleichzeitig entstandenes Violinstück hat die verehrungsbereite Biographie in liebevoller Übertreibung Vorahnungen späterer Melodiengestaltung hineinlesen wollen. Nein, Bruckner fing als Begabung an, nicht als Genie. Daß die musikalische Lehrzeit bei Johann Baptist Weiß für ihn eine unendlich glückliche Zeit war, die sich so ungetrübt nicht mehr wiederholen konnte, steht fest. Und sie nahm ein unvorhergesehen rasches Ende. Bruckners Vater war im Schuldienst überarbeitet und durch die unvermeidliche Mitwirkung bei dörflicher Tanzmusik verbraucht, er begann zu kränkeln. Sicher fiel es ihm nicht leicht, den nunmehr dreizehnjährigen Sohn, den er in glücklichster Situation wußte, heimzurufen, damit er ihm im Schuldienst helfe. Der junge Anton fügte sich gehorsam, aber er bewahrte seinem ersten Musiklehrer rührende Treue. Als dieser sich später erschoß, weil herauskam, daß er einem leichtsinnigen Vetter gutgläubig aus der Kirchenkasse ausgeholfen hatte, bat der strenggläubige Katholik Bruckner um geistliches Erbarmen für den Selbstmörder, und er kämpfte, als skurriles Symptom zweifellos interessant, hartnäckig, aber erfolglos um den Besitz von dessen Schädel als einer Reliquie der Pietät. Als der Leichnam des unglücklichen Kaisers Maximilian [7], der 1867 in Mexiko erschossen wurde und an dessen Schicksal Bruckner in merkwürdiger Erregung teilgenommen hatte, nach Wien überführt worden war, bat dieser von Linz aus um telegrafische Nachricht darüber, ob der Tote offen im Sarg liegend, nicht durch eine Glaswand getrennt, besichtigt werden könne. Für diesen Fall, nur für diesen, sei er gerüstet, sofort nach Wien zu reisen. Im Jahre 1888 wurden Schuberts Gebeine fotografischer Aufnahmen und wissenschaftlicher Untersuchungen wegen exhumiert. Bruckner drang darauf, den Schädel des verehrten Komponisten mit der Hand berühren zu dürfen. Auch Beethovens Schädel hat er bei ähnlicher Gelegenheit betastet. Der alte Bruckner nahm leidenschaftlich Anteil an dem Prozeß gegen einen Mörder, für dessen Seele er inbrünstig betete. Ohne Erfolg begreiflicherweise rang er um die Erlaubnis, der Hinrichtung beiwohnen zu dürfen. Als er in dem Dorf Windhaag seine Lehrgehilfenzeit absolvierte, erschreckte er die abergläubischen Bauern durch einen Einfall, der von den Schauern alter Volksmärchen gestreift scheint: er fing Krebse, klebte auf ihren Rücken brennende Wachskerzen und ließ sie mitten in der Nacht auf dem Gottesacker umherlaufen. Solche Symptome, von der Alltagspsychologie voreilig als schrullig diagnostiziert, erinnern entfernt an magische Rituale, sie korrespondieren mit musikalischen Symptomen, die manchmal im Werk des großen Christen Bruckner aus «heidnischen», aus vorchristlichen Schichten aufsteigen.

Anton Bruckner vertrat nun seinen bereits bettlägerigen Vater in einem Schuldienst, für den er weder ausgebildet noch alt genug war. Die emsige Biographie, die zahlreiche Äußerungen und Begebenheiten registriert hat, berichtet von keinem Wort der Klage darüber, daß die musikalische Ausbildung so abrupt unterbrochen wurde. Bruckner war ein ergebener, kein aufsässiger Typus. Aber es sah so aus, als wollte das Schicksal eine Entscheidung herbeiführen. Im Sommer 1837 starb der Vater, Schulamt und Wohnung wurden an einen Nachfolger vergeben, und die Witwe verließ mit den jüngeren Kindern Ansfelden. Sie mußte den ältesten Sohn Anton seinem Alter und seinen Anlagen gemäß angemessen unterbringen, das Augustiner-Chorherren-Stift St. Florian erklärte sich bereit, ihn aufzunehmen. Wie vor ihm Bach [8] in Lüneburg, wie Haydn und Schubert in Wien, wurde Anton Bruckner «Sängerknabe». Damit war die erste wichtige Entscheidung seines Lebens gefallen.

Die frühe Ansiedlung eines Augustinerklosters durch den Bischof von Passau an der Stelle, an der später der Marktflecken St. Florian entstand, geht auf das Jahr 1071 zurück. Das heute noch unveränderte Stiftsgebäude gehört zu den bedeutendsten Leistungen der barocken Architektur; italienische und österreichische Baumeister haben es erschaffen. Gekrönt wurde die Anlage durch die 1715 vollendete Stiftskirche. Das war in einer Zeit, als die Musik, die wir heute «barock» nennen, ihrem letzten, überragenden Höhepunkt zustrebte. Als Bruckner in das Stift eintrat, war es längst, ohne an geistlicher Funktion einzubüßen, als bedeutendes Denkmal der Kultur berühmt geworden. Den vierzehnjährigen Knaben Bruckner faszinierten begreiflicherweise alle die Schätze und Werte, die auch heute den interessierten Touristen nach St. Florian locken. Er bestaunte die Säle mit ihrer prunkvollen Ausstattung, er bewunderte die Gemäldegalerie, respektierte scheu die immens wertvolle Bibliothek und interessierte sich für die mannigfaltigen Sammlungen. Zu seinem heimlichen Heiligtum erkor er sich die «Große Orgel» in der Stiftskirche,

Die Erschießung Kaiser Maximilians. Gemälde von Édouard Manet, um 1868. Städtische Kunsthalle Mannheim

ein Werk, für das es nur in Wiens Stephansdom einen Vergleich gab. Die ursprünglich aus der letzen Phase des Spätbarock stammende und von allem Anfang an großartig angelegte Orgel wurde 1837 erneuert und 1873, mithin genau 100 Jahre nach ihren Anfängen, auf den heutigen Stand gebracht. Demnächst begeht sie ihren 200. Geburtstag. Musikalisch wurde sie durch Anton Bruckner, der immer wieder zu ihr zurückkehrte, in den Adelsstand erhoben. Inmitten dieses faszinierenden Milieus vollzog sich die Weiterbildung des Alumnaten Bruckner, die mit vielen Verpflichtungen verknüpft war. Auch dürfte sie eher nüchtern als anregend gewesen sein; das Wunder St. Florian war eine Sache, die Ausbildung der Sängerknaben eine andere. Sie erhielten ihren Unterricht in der Schule des Dorfes, dort schliefen sie, dort aßen sie. Für guten Musikunterricht war in diesem «musischen Gymnasium» gesorgt. Neben den eifrig betriebenen Chor- und Gesangsübungen nahm Bruckner Violinstunden, und er erhielt, woran ihm besonders lag, einen guten Unterricht im Orgelspiel. Ziemlich bald stellte sich heraus, daß er, gleichsam autodidaktisch, das Niveau dieses gutgemeinten Orgelunterrichts weit überstieg. Seine Urbegabung für das königliche Instrument entfaltete sich ungehemmt, der Impuls zur freien Improvisation regte sich. Da diese frühreifen Leistungen bemerkt und anerkannt wurden, über-

Brief-Entwurf des Dreizehnjährigen an die Mutter, Dezember 1837

trug man ihm, der ohnehin der einsetzenden Mutation wegen als Sänger nicht mehr verwendbar war, bei Gottesdiensten oder Aufführungen selbständige Aufgaben an der Orgelbank. Da er außerdem ein guter Schüler war und sein mustergültiges Verhalten gelobt wurde, bezeugte ihm der Prälat des Stiftes väterliche Freundschaft, er legte damit den Grund zu jenem Heimatrecht, das Bruckner zeitlebens und sogar über seinen Tod hinaus mit St. Florian verband. Die Berufsfrage mußte nun erörtert und entschieden werden. Bei aller Neigung und Begabung für die Musik schien dem Jüngling Bruckner der Gedanke an eine künstlerische Mission, an den Musikerberuf noch ganz fern zu liegen. Der angeblich schüchtern geäußerte Wunsch, Kapellmeister zu werden, wurde, so behauptet es die anekdotenfreudige Biographie, von der Mutter brüsk zurückgewiesen, ihr Gegenvorschlag, wie der Vater Schullehrer zu werden, von dem braven Bruckner jedoch widerspruchslos akzeptiert. Mehr Wahrscheinlichkeit hat die vom alternden und resignierenden Bruckner geäußerte Enttäuschung darüber, daß er die Chance verpaßt habe, zu studieren und Pfarrer zu werden. Solche Unsicherheit konnte ihn noch zu einer Zeit befallen, als seine *Siebente Sinfonie* bereits ihre Triumphe in Leipzig und München errungen hatte. Es blieb natürlich beim Lehrerberuf, die eigentliche Entscheidung lag noch in weiter Ferne. Verlockend wäre, einen Vergleich mit einem anderen Komponisten in ähnlicher Situation zu ziehen. Aber man sucht vergebens nach einem zweiten Beispiel dafür, daß ein Komponist, der ausersehen war für Genie und Meisterschaft, so lange zögerte, sich selbst zu erkennen, so widerspruchslos bereit war, sich der Autorität einer wohlwollenden, jedoch ganz und gar nicht kompetenten Umwelt zu unterwerfen. Trotz dieser noch durch keinen Vorbehalt oder gar Protest in Frage gestellten Fügsamkeit begann sich in Bruckner langsam eine ihm ganz allmählich bewußt werdende Konfliktsituation zu bilden. Er mußte St. Florian verlassen, in dessen Wunderwelt er sich geborgen fühlen durfte, er wurde hinuntergestoßen in das nüchterne Milieu eines Lehrerseminares. Anfang Oktober 1840 nahm Bruckner in Linz an dem Präparanden-Kurs teil, der die Ausbildung für «Gehilfen an Trivialschulen» vermittelte. Er war einer unter fast vierzig Gleichaltrigen.

DER JUNGE SCHULLEHRER

Hauptfächer der Präparandie waren Religion und Musik, diese deswegen, weil sie in der kirchlichen Praxis der Dörfer unentbehrlich war. Der Dorfschullehrer mußte Orgel spielen und den Gemeindegesang anleiten. Aufführungen von leicht ausführbaren geistlichen Werken waren erwünscht, der kompositorische Eifer der Lehrer wurde ermuntert. Außerdem lernten sie, die Violine zu spielen, um sich auf Tanzböden den unerläßlichen Nebenverdienst beschaffen zu können. Rechtschreibung und Rechnen nahmen in der Ausbildung immerhin einen gewissen Platz ein, Geschichte und Naturwissenschaften hingegen wurden den künftigen Lehrern als entbehrlich vorenthalten. Der Besuch des Linzer Stadttheaters war ihnen als unerwünscht verboten.

Daß Musik in dieser Ausbildung eine relativ ansehnliche, wenn auch in der Zielgebung begrenzte Rolle spielte, konnte Bruckner, der als Orgelspieler nun schon von vielen Seiten her angefordert wurde, nicht darüber hinwegtäuschen, daß sein musikalisches Niveau weit über diese Ebene hinausgewachsen war. Einige Glücksfälle kamen ihm, der in einem winzigen Zimmer äußerst bescheiden und wie abgeschnitten von jeder künstlerischen Kultur lebte, zu Hilfe. Der eine

Windhaag: das alte Schulhaus

lag darin, daß der Unterricht in der für Bruckner so wichtigen Musiktheorie von einem musikalisch angesehenen Mann gegeben wurde, der als hoher Verwaltungsbeamter nach Linz versetzt worden war. August Johann Baptist Dürrnberger[9] hatte in jungen Jahren am Wiener Konservatorium eine erstrangige Ausbildung genossen und alle Prüfungen mit Auszeichnung bestanden. Musikpädagogische Lehrbücher, in der damaligen Unterrichtspraxis vielfach verwendet, zeugten von seinem Wissen und Können. Er wirkte in Linz nebenberuflich, aber eifrig und erfolgreich als Schulmusiker, Gesangslehrer und Chorleiter, seine Kompositionen waren beliebt. Bruckner respektierte ihn als den ersten in einer langen Reihe von musikalischen Autoritäten, bei denen er sich mit fast manischem Eifer um die Abnahme einer Prüfung, um die Ausstellung eines Zeugnisses bewarb. Das erste musikalische Zeugnis seines Lebens fiel so vorteilhaft aus wie alle späteren. Daß er im Fach Orgelspiel nur die Note «Gut» erhielt, wurmte Bruckner, er drang hartnäckig auf eine Revision, dank deren sich das «Gut» zu seiner Genugtuung in ein «Sehr gut» verwandelte. Wie seinem Lehrer Weiß bewies Bruckner auch Professor Dürrnberger eine rührende Anhänglichkeit und Dankbarkeit. Wenn man es im romantischen Jahrhundert als normal ansah, daß das junge musikalische Genie die Stadien der Ausbildung hinter sich zu lassen und vor allem die Professoren der Musiktheorie rasch zu vergessen trachtet, dann war Bruckner ganz entschieden nicht normal.

Dieser Ablauf von Unterwerfung, Lehre, Prüfung, Zeugnis und Dankbarkeit wiederholte sich in seinem Leben bis in die Stadien einer Meisterschaft, in der er den Prüfern gänzlich überlegen war. Arglos setzte er sie in Verlegenheit, besessen offenkundig von der abwegigen Vorstellung, man könne sich im «Musikleben», in einer Welt, in der, Talent vorausgesetzt, nur Risiko, Wagnis und Erfolg zählen, durch gute Zeugnisse heraufarbeiten. Das Urteil der Musikgeschichte, wie anfechtbar es manchmal erscheinen mag, läßt sich am wenigsten durch Zeugnisse beeinflussen. Natürlich lag in diesem Verfahren permanenter Prüfung die Gewähr für ein unerhört hart geschmiedetes Können, aber nicht weniger die Gefahr einer zwanghaften Hemmung, sich von den Stützen der Autorität gänzlich zu befreien. Was andere, die weniger konnten, voreilig wegwarfen, daran klammerte sich Bruckner in seltsamer Befangenheit.

In die Enge seines ersten Linzer Aufenthalts fiel ein Lichtblick. Bruckner durfte auf der berühmten Orgel des Domes spielen, ohne vorerst zu ahnen, welche Bedeutung das ausgezeichnete Instrument für ihn erhalten sollte. Und schließlich wurden damals seine musikalischen Erfahrungen bereichert. Es gab in Linz einen Musikverein, und es gab ein Orchester, das, wie bescheiden wir es uns auch vorstellen dürfen, immerhin Konzerte mit dem damals in der Provinz üblichen Repertoire veranstaltete. Zum erstenmal in seinem Leben hörte der siebzehnjährige Bruckner Ouvertüren und Sinfonien der Klassiker. Das war 1841, in dem Jahr, in dem Schumann [10] seinen großen schöpferischen Ausbruch hatte und Wagner [11] die Komposition des «Fliegenden Holländers» abschloß. Wenn auch von diesen Ereignissen kaum eine Nachricht nach Linz gedrungen sein dürfte, verringerte doch Bruckner durch die Bekanntschaft mit einigen Werken der Klassik den erschreckenden Abstand ein wenig, der ihn von der musikalischen Bildung seiner Zeit trennte. Aber auch mit diesen bescheidenen Ansätzen war es erst wieder einmal vorbei, nachdem er im gleichen Jahr seine Abschlußprüfung mit Auszeichnung bestanden hatte und als Gehilfe an die Schule in Windhaag versetzt wurde, einem dem Pfarramt St. Florian unterstehenden kleinen Dorf, das im kargen Norden Oberösterreichs fern von den Verkehrswegen einsam lag.

Bei diesem Kapitel der Lebenserzählung angelangt, kann man nicht umhin, der traditionellen Bruckner-Biographie zu widersprechen, wiewohl sie, zugegeben, in der Ermittlung von Fakten Hervorragendes geleistet hat und ihr Versuch, die Persönlichkeit durch das Medium von Erinnerung und Anekdote zu sehen, als Bemühung respektiert werden muß. Aber sie zeigt sich einseitig, wie unter dem Zwang eines damals vielleicht unerläßlichen, inzwischen aber hinfällig gewordenen Vorurteils, eines undifferenzierten Feind-Freund-Denkens stehend, allzu bereit und beredt, wenn es gilt, gewisse Realitäten des großstädtischen Musiklebens zu verteufeln, jedoch das Milieu der Provinz, gar des Dorfes, nachsichtig zu verklären. Die Biographie ist jedenfalls auffallend beflissen, die widerwärtigen Lebensumstände, denen Bruckner in Windhaag ausgesetzt war, wohlwollend leutselig zu verharmlosen und zu verniedlichen, sei es, um das Tabu von der Unschuld des Dorfes nicht anzutasten, sei es, um Bruckners vermeintliche Tugend einer wehrlos hinnehmenden Geduld und Demut unbesehen heller strahlen zu lassen. Mit der Episode Windhaag wird die Bruckner-Biographie soziologisch und psychologisch unkritisch.

Grausame Lebensumstände gelten in der stets wohlmeinenden Musikerbiographie als unerwünscht, viele Darstellungen wurden durch die Aussparung oder Verklärung des Unerwünschten verfälscht, so auch die Darstellung der fünfzehn Monate, die Bruckner in Windhaag zubringen mußte. Windhaag war für Bruckner der krisenhafte Schnittpunkt zweier divergierender Linien. Zwar sollte es noch 25 Jahre lang dauern, eine beträchtliche Zeit also, bis er den Schritt vom komponierenden Lehrer, Organisten und Chorleiter zum Sinfoniker, zum souveränen Künstler und Schöpfer autonomer Musik tat. Aber gerade weil dieser Prozeß so langsam vor sich ging, muß man annehmen, daß er sich auf eine noch längere Frist vorbereitete. Diese innere Linie führte stetig aufwärts bis zum Durchbruch in die Ebene der großen Komposition. Der heimliche Musiker Bruckner muß ahnungsvoll gespürt haben, was sich in ihm entwickelte. Der einfache Mensch Bruckner jedoch, der in Ausbildung befindliche Dorfschullehrer, wurde tiefer hinabgedrängt in die Misere eines schäbigen Lehrlingsdaseins. Diese Linie führte abwärts. Man tut den Bewohnern Windhaags und auch dem Lehrer, Herrn Franz Fuchs, kaum unrecht, wenn man annimmt, daß sie, die auch beim besten Willen kein Verständnis für eine künstlerische Begabung hätten aufbringen können, geradezu versucht waren, den jungen Bruckner grausam das entgelten zu lassen, wodurch er auffiel, was an ihm «anders» war. Es war keine Rede davon, daß er sich etwa als verkanntes Genie gebärdet hätte, es waren Skurrilitäten, sonderbare Einfälle, bizarre Eskapaden, in denen sich die Divergenz zwischen Innenleben und Milieu entlud. Schwierigkeiten der Pubertät, sexuelle Nöte dürften damals schon dazugekommen sein. Sicher galt für ihn, was Mozart [12] in einem Brief an seinen Vater bekannte: daß die Natur in ihm genau so laut spräche wie in manchem großen, starken Lümmel.

Der Schöpfer von neun Sinfonien, der Komponist von Streichquintetten, *Te Deum* und drei großen Messen, der Professor Bruckner, der in Wien am Konservatorium lehrte und sogar an der Universität Vorlesungen hielt, dieser Mann war in jungen Jahren dazu verurteilt, in einem entlegenen und von zweihundert Bauern bewohnten Dorf einem Schullehrer zu gehorchen, in dessen Ermessen es laut Reglement lag, seinen Gehilfen nach Belieben aus eigener Tasche zu entlohnen, beköstigen, beschäftigen und auszunutzen. Franz Fuchs war vermutlich kein Bösewicht, er hätte schon ein besonderer Charakter sein müssen, wollte er der Versuchung widerstehen, aus der totalen Wehrlosigkeit des abhängigkeitsbereiten Bruckner nicht seinen Nutzen zu ziehen. Vielleicht bestärkte eine primitive Frau ihn darin. Die wohlmeinende Biographie registiert treuherzig alle Mißlichkeiten von Bruckners dortiger Existenz, ohne allerdings ihre Schwere zu realisieren, noch die Folgerungen, die man daraus auch für Bruckner selbst ziehen muß.

Er bekam kaum Geld in die Hand, das dürftige Mittagsmahl, dessen kärgliche Bestandteile mit dem verdächtigen Behagen unangebrachten Humors geschildert werden, nahm er am Tisch der Dienstboten ein. Er habe sich darüber geärgert, heißt es, und sich, erfolglos allerdings, davon zu drücken versucht. Früh um vier läutete er die Glocke, dann mähte er Wiesen und half dem Pfarrer beim Ankleiden. Der Frühgottesdienst beschäftigte ihn durch Orgelspiel und Ministrantendienste. Der Vormittag war mit dem Schulunterricht ausgefüllt, bei dem er half. Fiel er dem Lehrer mißliebig auf, dann wurde er vor den Kindern in eine Ecke gesetzt, wo er strafweise Gänsekiele schnitt. Haushalt und Wirtschaft beanspruchten ihn permanent, Wein und Nahrungsmittel mußten herbeigeholt werden, die Äcker verlangten Bearbeitung. In den wenigen freien Stunden, die er sich erschlich, schrieb er Noten, studierte Bachsche Fugen, übte Klavier oder Orgel. Manchmal des Abends wirkte er als Geiger im Tabaksqualm der Gastwirtschaft bei der vom Wein befeuerten Tanzmusik mit. Auch um diese Fron webt die nachsichtige Biographie einen Heiligenschein: er habe sich dort die Anregung zu den Scherzi seiner Sinfonien geholt.

Diese Lebensumstände waren unerquicklich vor allem, weil Lehrer Fuchs, der ja auch zu einer primitiven Musizierpraxis verpflichtet war, die turmhohe musikalische Überlegenheit des ihm unterstellten Bruckner nicht ertrug. Er demütigte ihn, wo er nur konnte. Daß die Schulkinder den kindlichen Bruckner liebten, jedoch ihn, den Lehrer fürchteten, machte diesen rasend. Die Dorfbewohner schüttelten den Kopf, in ihren Augen war der neue Schulgehilfe ein lästiger Spinner. Zweifellos haben viele andere Genies in ihrer Kindheit und Jugend ungleich Schwereres ertragen müssen; die Darstellung von Bruckners Misere soll keineswegs der Wehleidigkeit Vorschub leisten. Widrige Umstände in der Frühzeit der Entwicklung können ihr Gutes dann haben, wenn sie den Betroffenen nicht zerbrechen oder zum seelischen Krüppel machen, sondern in ihm jene Widerstandskraft stählen, die ihm später im eigentlichen Leben, das nicht weniger grausam sein kann, hilft, sich durchzusetzen. Bruckner litt unter seiner Misere unwillig, aber geduldig, Windhaag wurde für ihn nicht zur Hohen Schule der Selbstbehauptung, sondern, so ist zu fürchten, zur Probezeit einer zwischen demütiger Fügsamkeit und ohnmächtigem Aufbegehren schwankenden Haltung, die ihn besonders untauglich machte für den späteren Umgang, sei es mit Feind oder mit Freund. Mit Ohnmacht ist niemandem gedient. Ob die Anlage zu souveräner Selbstbehauptung in ihm überhaupt nicht vorhanden war oder ob sie unter einer drückenden Schicht von Autorität einfach erstickt wurde, das sei dahingestellt. Jedenfalls zog er den Ausbruch aus diesem Milieu dank eigenen Entschlusses auf eigenes Risiko überhaupt nicht in Betracht.

Die traditionelle Biographie liebt es, Bruckners verhängnisvolle Fügsamkeit als Anerkennung einer höheren Fügung zu verklären. Wer das Leben jedoch als ein Wechselspiel von Glück und Pech, Unterdrückung und Befreiung, Angriff und Verteidigung, Widerstand und Wille sieht, der wird erstaunt, vielleicht entsetzt fragen, warum denn der gesunde und kräftige junge Mann, der zu Höherem berufen war, nicht dem Lehrer den Kram einfach vor die Füße warf, um sich durch eigene Kraft zu befreien und durchzusetzen, sei es auf die Gefahr hin, zu scheitern. Ein abenteuerliches Leben zu führen, war nicht Bruckners Sache, er war nun einmal kein verwegener Typ, aber gab es nicht zahlreiche Komponisten, die ganz unten angefangen haben, vertrauend auf Begabung, Können, Willen und Glück? Diese Frage nachträglich an den jungen Bruckner zu richten, wäre sinnlos. Seine Unterwerfung unter die gegebenen Autoritäten seines Milieus war so total, daß angesichts dieser bedingungslosen Kapitulation alle Anklagen in sich zusammenfallen, seien sie gegen den Lehrer Fuchs in Windhaag oder gegen Bruckners spätere Gegner in Wien gerichtet. Diese Anklagen lenken liebevoll ab von einem Manko Bruckners. Nicht von einem künstlerischen natürlich oder einem des Charakters, diese Beschwerden verkennen einfach, daß Bruckner jede selbstbewußte, wehrhafte und im Grunde selbstverständliche Lebenstüchtigkeit fehlte, im Besitz derer sich fast alle anderen Komponisten mit mehr oder weniger Glück durchsetzen. Mit diesem Manko, das sein Äquivalent in einer Spiritualität haben mag, die in der Realität des machtverseuchten Musiklebens der sogenannten Spätromantik unverständlich, wenn nicht sogar instinktiv unerwünscht war, müssen wir bei der weiteren Beschreibung von Bruckners Lebensgang bis hin zum versöhnenden Ende rechnen.

Der Riß, der seine Existenz spaltete, tat sich auf. Bruckner als Person blieb, wenn auch in der sozialen Ebene emporsteigend, zeitlebens der Unterlegene, der leidet, sich verfolgt glaubt und klagt, der sich ohnmächtig aufbäumt und sich beschwert, ohne je aktive Gegenwehr oder energische Selbstbehauptung in Betracht zu ziehen. Bruckner als Genie, als einer der großen Eingeweihten der Musik, blieb seiner empirischen Person als dem Träger jener hohen Spiritualität verknüpft, zugleich überstieg er sie unermeßlich. Immer wieder werden wir auf den Widerspruch stoßen zwischen der Stärke der Musik und der Ohnmacht der Person, zwischen der künstlerischen Intelligenz des Werkes und dem begrenzten Intelligenzgrad des Komponisten. Der arme Bruckner blieb jedenfalls in Windhaag, er litt geduldig und muckte erst auf, als der Lehrer Fuchs ihm befahl, den Mist abzufahren, was die niederste Verrichtung eines Knechtes war. Aber nicht der Gedemütigte beschwerte sich, der Peiniger erhob Anklage, und Bruckner, des Ungehorsams bezichtigt, mußte sich vor dem Abt des Stiftes St. Florian als der höheren Instanz rechtfertigen. Der wohlwollende Prälat Michael Arneth [13] sah ein, was an Unerträglichem dem jungen Mann, dessen Begabung ihm schon früher aufgefallen war, zugemutet wurde. Er merkte ihn für eine Gehilfenstelle in St. Florian vor und schickte ihn für zwei Jahre nach Kronstorf an der Enns. Der Lehrer war froh, den lästigen Gehilfen loszuwerden, und schrieb ihm ein empfehlendes Zeugnis, das Bruckner vermutlich volle Genugtuung bereitete.

Was die Obliegenheiten und äußeren Lebensumstände betraf, schien Bruckners Leben in Kronstorf dem in Windhaag völlig zu gleichen. Nur waren die Details mit einem positiven Vorzeichen versehen. Pfarrer und Lehrer erwiesen sich als wohlwollend und verständnisvoll, die reichen Bauern des fruchtbaren Landstriches zeigten sich gastlich und großzügig und sogar der Musik zugeneigt. Was besonders ins Gewicht fiel war die Nähe der Stadt Enns; dort wirkte Leopold von Zenetti [14], ein geschulter Organist und Chorleiter, zu dem der unentwegt verehrungsbereite Bruckner mehrere Male in der Woche hinwandern durfte, um sein kompositorisches Handwerk zu verbessern. Im nah gelegenen Steyr stand ihm eine hervorragende Orgel zur Verfügung. Er atmete auf. Gemessen an den bescheidenen Werken, einer Messe und eines *Pange Lingua*, die er in Windhaag für beengte Möglichkeiten geschrieben hatte, zeigen die in Kronstorf zwischen 1843 und 1845 entstandenen Kompositionen verbessertes Können, bereicherte Phantasie, einen erweiterten Radius und zweifelsfrei endlich die Anfänge dessen, was man später als Brucknerschen Stil anerkannte. Zu kirchlichen Werken traten zum erstenmal schüchtern auch weltliche hinzu, ein Männerchor, der Motive des Streichquintetts vorwegnahm, und eine vom Klavier begleitete Chorkantate über das Gedicht «Vergiß mein nicht», ein im Vergleich mit ähnlichen Werken der Romantik besonders unschuldig erscheinender Versuch. Vom Sinfoniker war auch nicht in bescheidensten Ansätzen die Rede. Hätte man dem nunmehr Volljährigen, der, mit guten Zeugnissen versehen, das gemütliche Kronstorf bedauernd verließ, eine Prognose gestellt, sie wäre etwa so ausgefallen: Anton Bruckner kann einmal ein guter Lehrer werden, aber wenn es durchaus die Musik sein soll, dann dürfte ihm eine Position als Organist, Chorleiter und Komponist gediegener Kirchenmusik in einer größeren Stadt sicher sein. Die abgrundtiefe Divergenz zwischen vorauszusehender und faktischer Entwicklungslinie des Musikers Bruckner gehört zu den größten Rätseln der Musik.

ZEHN JAHRE IN ST. FLORIAN

Das Bild von Bruckners zehnjährigem Wirken in St. Florian bestätigte solche Prognose wörtlich. Auf kurze Formel gebracht: dem Schuldienst oblag er gewissenhaft und pünktlich, während sich gleichzeitig der Musiker in ihm stetig weiterentwickelte bis zu dem Augenblick, da er den Schuldienst aufgeben und statt dessen den Beruf des Kirchenmusikers ergreifen konnte, der eine Aufwertung im Ansehen und in der wirtschaftlichen Existenz mit sich brachte. Die Details lassen sich nicht ebenso auf eine glatte Formel bringen. Im

Mai 1845 bestand Bruckner mit Auszeichnung eine Lehrerprüfung, auf Grund deren er im September des gleichen Jahres als Hilfslehrer an der Volksschule des Dorfes St. Florian angestellt wurde. Merkwürdig erscheint dem Betrachter, daß er, obwohl die Musik in ihm und auch in seiner Lebenspraxis zunehmend die Oberhand gewann, nicht nur Versuche machte, seine Qualifikation als Lehrer noch zu verbessern, sondern sogar einen ganz neuen Beruf zu ergreifen. Er nahm Nachhilfeunterricht in wissenschaftlichen Fächern, besuchte einen zweijährigen Kursus, legte eine Prüfung ab und erhielt die Erlaubnis, auch an höheren Schulen Unterricht zu erteilen. Unnütz, zu sagen, daß auch dieses Zeugnis in allen Fächern ein «Sehr gut» aufwies. Unerachtet dieser unbezweifelbaren Bestätigung in seinem Beruf, den er überdies gern ausübte, liebäugelte er mit dem Staatsdienst, praktizierte in einer Kanzlei und bewarb sich, wovon die Umwelt kopfschüttelnd Kenntnis nahm, um einen Posten als Schreiber.

Obwohl der ehrfurchtsvolle Bittsteller laut in F anruhendem Zeugnisse sich durch seine Leistungen im Schulfache wesentliche Verdienste erworben hat, so fühlt er jedoch schon von seiner Jugend an eine besondere Vorliebe für das Kanzleifach, weshalb er sich in seinen freien Stunden, um sich die nötigen Vorkenntnisse zu erwerben und sich eines derartigen Dienstes zu würdigen, schon seit dem Jahre 1851 ganz unentgeltlich diesem Dienste mit allem Fleiß und Hingebung widmete, was er durch das in G anruhende Zeugnis des löbl. k. k. Bezirksgerichtes zu St. Florian nachzuweisen sich erlaubet. Gestützt auf diese wahrhaften Nachweisungen und in gnädigster hoher Berücksichtigung, daß der gehorsamste Bittsteller auf alle ihm mögliche Weise mit allem Fleiße und Hingebung bemüht war, sich für das Kanzleifach auszubilden, welchen Beruf er schon so lange in sich fühlt, erlaubt er sich seine ehrfurchtsvolle Bitte nochmals zu wiederholen: Hohe k. k. Organisationskommission wolle bei Besetzung der künftigen k. k. Gerichtsstellen ihm eine Kanzlisten- oder eine seinen nachgewiesenen Kenntnissen und Fähigkeiten angemessene Dienstesstelle in hoher Gnade zu verleihen geruhen.[15]

Es fällt schwer, diese Mischung von Selbstbestätigung und Selbstverleugnung zu verstehen und zu motivieren, wenn man sich vergegenwärtigt, wie sicher Bruckner zur gleichen Zeit auf dem Terrain der Musik Fuß zu fassen begann. Neurotische Unsicherheit zu diagnostizieren wäre absurd, Bruckners Persönlichkeit war nicht unterminiert, sie war intakt. Die individuelle Psychologie, die für das Persönlichkeitsverständnis anderer Komponisten Erhellendes beitrug und noch beitragen wird, dürfte angesichts des Rätsels Bruckner kapitulieren und einer Betrachtung Platz machen, die sozusagen «geologische» Schichten im Menschen voraussetzt, zwischen denen das Individuum seinen Ort noch tastend suchen muß. In Bruckner waren die Schichten vielfältig überlagert, und sie reichten tief hinunter ins Archaische.

Das Abgründige in Bruckner ließ sein Schaffen vorerst ganz unberührt; Musik, so wichtig sie für ihn war, reflektierte nicht seismo-

Die Bruckner-Orgel in der Stiftskirche St. Florian

graphisch die unterirdischen Vorgänge. Vom Beginn der zweiten St. Florian-Periode an sollte es nicht ein, es sollte noch zwei Jahrzehnte lang dauern, bis der Einbruch dämonischer Kräfte erfolgte, der das Gesicht seiner Musik völlig veränderte und sowohl Werk wie Person mit einem Zwang, der keinen Widerspruch duldete, auf jene Ebene steuerte, deren einer Schauplatz das großstädtische Musikleben Wiens mit seinen internationalen Beziehungen war. In so lang dauernden Phasen entwickelte sich die Schöpfung in Bruckner, man ist versucht, eine Entsprechung zwischen der gedehnten Periodik späterer Sinfonien und der Periodik des Lebens zu sehen. Unter solchem Aspekt haben Leben und Werk Bruckners allerdings miteinander zu tun. Er hat «langsam» gelebt, und ihm gelang die langsamste Musik, die wir kennen.

Die Meisterschaft im Orgelspiel näherte sich im Jahrzehnt «St. Florian» bereits der Grenze, die nicht mehr überschritten werden konnte. Können und Leistung wurden so bescheiden honoriert, wie es innerhalb eines Milieus, das materielle Ansprüche ausschloß, nun einmal möglich war. Im Jahre 1848 wurde Bruckner zum provisorischen Stiftsorganisten ernannt; die definitive Bestallung erfolgte unter geringfügiger Erhöhung von Bezügen, die im Grunde das Lehrergehalt nur verbessern sollten, drei Jahre später. Die Biographie wird nicht müde, immer wieder wohlwollend zu bestätigen, daß Bruckner sich angesichts dieser kleinen Gehaltsverbesserungen «wie ein Fürst» gefühlt habe. Aber er war nun auf dem Weg zu einem vollgültigen Organistenamt.

Der kompositorische Ertrag jenes Jahrzehnts war reich, aber die damals geschaffenen Werke überschritten an keiner Stelle die Grenzen der traditionellen Kirchenmusik der Zeit und der Landschaft, noch die engen Grenzen einer bescheidenen Gelegenheitsmusik für Männerchor, Männerquartett und für vierhändiges Klavierspiel, wie Bruckner es in Bürgerstuben pflegte. Katholische Kirchenmusik war, mehr als evangelische, im 19. Jahrhundert eine von Traditionsbewußtsein erfüllte, von Problematik kaum heimgesuchte Sphäre, die gute Musiker brauchen konnte, ihnen Aufgabe und Existenz bot. Aber wie sich im romantischen Zeitalter die Musik als Kunst endgültig emanzipierte und auch die kirchlichen Bindungen löste, hielt sich die katholische Kirchenmusik als eine zwar in sich gefestigte, aber zugleich sehr abgegrenzte Sphäre abseits, von der aus der Übertritt in das «eigentliche» Musikleben immer schwerer wurde. Die Selbstverständlichkeit, mit der noch Haydn und der junge Mozart kirchliche und weltliche Musik abwechselnd komponierten und praktizierten, war zu Bruckners Zeit nicht mehr gegeben. Die Vorstellung, er habe im Kirchendienst gewirkt und gleichzeitig Opern geschrieben, wäre absurd, nicht nur individuell von ihm aus gesehen. Wieviel leichter hätte er es gehabt, wäre er ein gleichgültiger oder gar abtrünniger Katholik gewesen. Er war seiner Kirche mönchisch verschworen; gerade ihm hätte die Gleichzeitigkeit von Sinfonik und Kirchenmusik nicht leicht gemacht werden können, wäre sie über-

Stift St. Florian. Der Hof mit dem Stiegenhaus

haupt noch denkbar gewesen. Sicher litt er schwer darunter, daß die großen geistlichen Werke seiner späteren Zeit nicht mehr liturgisch, nur noch konzertant praktikabel waren und blieben. Die Aufgabe, absolut sinfonische Gestaltung mit abgrundtief religiöser Inspiration in ein und demselben Werk zur Einheit zu verschmelzen, war die schwerste, die einem Musiker zwischen Wagner und Brahms gestellt werden konnte. Alle scheinbaren Absurditäten in Bruckners Erscheinung werden verständlich und erscheinen gerechtfertigt, wenn man diese Aufgabe in einer extrem anders tendierenden Zeit begreift und die Lösung anerkennt. Anerkennt man Aufgabe und Lösung nicht, dann allerdings bleibt nur der fromme und fleißige Sonderling mit infantilen Zügen übrig, dessen große Begabung mangels jeglicher Kongruenz mit dem künstlerischen, intellektuellen und bildungsmäßigen Befund seiner Zeit fehlgeleitet und in den kompositorischen Irrtum gesteuert wurde. Merkwürdig, wie immer man, um Objektivität bemüht, die Faktoren wägen und gegeneinander abgrenzen mag: der wehrlose Bruckner fordert eine totale Entscheidung heraus, nicht anders als der Machtmensch Wagner.

Aus der Reihe der in St. Florian entstandenen Werke heben sich

Der Dreißigjährige

zwei geistliche Schöpfungen durch Format und durch erstrangige Arbeit heraus, sogar Bruckner war mit ihnen einigermaßen zufrieden. Das *Requiem* in d-moll entstand 1848, unmittelbar nachdem Franz Seiler plötzlich gestorben war, der Bruckner wohlgesinnte Sekretär des Stiftes. Seiler war ein großer Musikfreund gewesen, und er hatte das Schaffen des künftigen Stiftsorganisten liebevoll verfolgt. Bruckner wurde nun durch Erbschaft Besitzer eines schönen Bösendorfer-Flügels, der ihn fortan begleitete. Er nahm die Partitur des *Requiem* mit, als er 1852 zum erstenmal in seinem Leben nach Wien reiste, um dem Komponisten und Hofkapellmeister Ignaz Aßmayer [16] seine Aufwartung zu machen. Nachdem der reservierte Aßmayer dem schüchternen Komponisten Wohlwollen und Anerkennung bezeugt hatte, allerdings ohne daß von einer Aufführung des *Requiem* die Rede war, übersandte ihm Bruckner eine weitere Komposition, den *114. Psalm.* Wortlaut der Widmung und Wortlaut des begleitenden Briefes schockieren förmlich, selbst wenn man das höhere Alter und den höheren Rang des Hofkapellmeisters bedenkt und die spätere Überlegenheit Bruckners nicht unzulässig vorwegnimmt. Ignaz Aßmayer war ein hochgestellter Musiker, gewiß, aber die Untertänigkeit von Widmung und Brief erinnert an die Art und Weise, wie in der Barockzeit Bittschriften an Potentaten abgefaßt wurden. Zwei Jahre später konnte Bruckner dem Zwang nicht widerstehen, sich von Aßmayer prüfen und ein Zeugnis ausstellen zu lassen.

Gewidmet P. T. Hr. Hochwohlgeboren dem hochverehrtesten Herrn Herrn Ignaz Aßmayr, k. k. Hofcapellmeister, als schwacher Versuch von A. Bruckner, Stiftsorganist von St. Florian.

Die *Missa solemnis* in b-moll entstand 1854. Der Abt Arneth war gestorben, und Bruckner huldigte seinem Nachfolger, dem ebenfalls wohlwollend gestimmten Prälaten Friedrich Mayr[17], mit dieser groß angelegten Komposition. In *Requiem* und *Missa* ist eine bemerkenswerte Ausgeglichenheit zwischen Vokalhomophonie und Vokalkontrapunkt erreicht, beide Werke führen mit der Kraft des Selbstverständlichen die durch Werke Haydns und Mozarts bezeichnete Tradition der nach-barocken Kirchenmusik weiter. Wie in einem abgeschirmten Bereich standen sie außerhalb des Fortschrittszwanges damaliger Musik. Ihre Traditionsgebundenheit verrät weder Schwäche noch beweist sie Stärke, beide Werke sind schön, sind edel, ohne mit auch nur einer Note auf die musikalische Situation der Jahre um 1850 bezogen zu sein. Sie wurden zur Zeit von Bruckners Wirken in St. Florian aus gegebenem Anlaß aufgeführt; in das städtische Musikleben einzudringen hätten sie, ihres Wertes unerachtet, keine Chance gehabt. Nachdem Bruckner ein berühmter Komponist geworden war, erinnerte man sich ihrer gelegentlich pietätvoll.

Die kontrapunktischen Studien, die Bruckner unermüdlich betrieb, gestützt auf das Vorbild Bachs, unterstützt durch des alten Friedrich Wilhelm Marpurgs[18] «Abhandlung über die Fuge», drängten zu einem wichtigen Entschluß. Im Sommer 1855 fuhr er nach Wien zu Simon Sechter[19], dem führenden Musiktheoretiker und Kompositionslehrer seiner Zeit, zeigte ihm die Partitur des *Requiem* und wurde für die nächsten sechs Jahre sein Schüler. Viele Stunden am Tag übte er sich im «Strengen Satz», wochenlang hielt er sich in Wien zum Unterricht auf. Er wurde des strengen Simon Sechters berühmtester Schüler.

Als ich noch in Linz Domorganist war, fuhr ich einmal zu Ostern zu meinem Meister Sechter nach Wien, um ihm einige kontrapunktische Arbeiten abzuliefern. Klopfenden Herzens übergab ich Sechter die Beispiele. Ich hatte mir nämlich bei einer Stelle erlaubt, von der geheiligten Regel abzugehen. Freiheiten im Satz hat es aber bei Sechter nicht gegeben. Da wurde er furchtbar. Als nun der Lehrmei-

Simon Sechter

ster zu der gefürchteten Stelle kam, schüttelte er bedenklich den Kopf. Dann blickte er mich vorwurfsvoll an, erhob den Zeigefinger und sagte grollend: «Mir scheint, Sie sind auch einer von denen – –!»[20]

DOM-ORGANIST IN LINZ

Bruckner verdankte die Stelle eines Dom-Organisten in Linz nicht der eigenen Initiative. Dem Können nach stand sie ihm zu, aber schließlich mußte eine Vakanz vorliegen, und nachdem durch den Tod des Dom-Organisten Wenzel Pranghofer dieser Fall eingetreten war, wäre es nur allzu natürlich, geradezu erforderlich gewesen, daß Bruckner sich um die Stelle bemühte und bewarb, daß er mit zuständigen Instanzen und einflußreichen Persönlichkeiten sprach und, warum eigentlich nicht, mit Gönnern ein wenig konspirierte. Lag doch in dieser Position für ihn ein ganz hohes Ziel. Die Biographie bestätigt ihm liebevoll und lobend im arglosen Ton einer Anekdote das weltfremde Ungeschick, mit dem er sich in dieser Sache tatsächlich verhielt. Weder bewarb er sich noch wäre er zu dem anberaumten Wettspiel erschienen, wenn nicht ein Linzer Klavierstimmer ihn zufällig

Linz. Gemälde von Joseph Schmidt, 1875

an jenem Tag getroffen und ihm eifrig zugeredet hätte. Schlechten Gewissens, weil er seine Obrigkeit im Stift gar nicht mehr davon verständigen konnte, eilte Bruckner uneingeladen nach Linz und spielte seine Konkurrenz zum Erstaunen der Prüfungskommission in Grund und Boden. Die Stelle mußte ihm zugesprochen werden. Darin, daß man ihn ersuchte, die Bewerbung offiziell und schriftlich nachzuholen, lag gewiß kein ungebührliches Ansinnen. Unerträgliche Hemmung ließ Bruckner trotz mehrfachen Drängens diese selbstverständliche Prozedur so lange hinausschieben, daß es wiederum des energischen Eingreifens eines hochgestellten Gönners bedurfte, um zu verhindern, daß er die ersehnte Stelle nachträglich wieder verlor.

Bruckner war damals schon über dreißig Jahre alt, mithin ein erwachsener Mann und überdies ein anerkannter Könner. Aber alle duzten ihn, alle nannten ihn Tonerl und alle bewiesen ihm ein Wohlwollen, wie es eigentlich nur dem Kind gegenüber angebracht ist. Es gibt Menschen, die fordern zur Infantilisierung auf. Bruckner jedenfalls, der die harte Schule der Selbständigkeit dringend nötig gehabt hätte, akzeptierte dieses Wohlwollen dankbar, obgleich es ihn, den erwachsenen Menschen, den man lobte, als wäre er noch ein braves, unschuldiges Kind, zur Unmündigkeit verführte. Er konnte nicht ahnen, wie verhängnisvoll dieses Wohlwollen für ihn war. Es

Der Pfarrplatz in Linz. Ganz rechts das «alte Mesnerhäusl», in dem Bruckner wohnte. Lithographie

erzog ihn förmlich dazu, Schutz in der Geborgenheit, in der Unterordnung zu suchen und in fremden Menschen, auch wenn sie ihm gar nicht böswillig gesinnt waren, mißtrauisch Feinde zu sehen. Ganz zu schweigen von Neidern und Feinden, die es nun einmal gibt, gegen die man sich zu wehren hat. Vor denen hatte er Angst, vor denen flüchtete er in eine Art Verfolgungswahn. Mit der trügerischen Geborgenheit im Wohlwollen eines umhegten Milieus war es vorbei, als er nach Wien übersiedelte. Von diesem entscheidenden Wechsel der Umwelt trennte ihn noch das Jahrzehnt seiner Linzer Zeit, eine Phase, während derer Voraussetzungen reiften, die jenen Wechsel überhaupt erst motivierten und rechtfertigten. In diesem Jahrzehnt verstärkte sich in ihm die kritische Spannung zwischen der vordergründigen Genugtuung des Bescheidenen, der ein hohes Ziel bereits erreicht hat, und dem unterschwellig nagenden Gefühl des Berufenen, im Eigentlichen seiner Mission überhaupt noch nicht anfangen zu haben. Manche Skurrilität des Verhaltens läßt sich aus dieser Spannung erklären.

Bis zum Frühjahr 1856 hatte Bruckner auf dem Land gelebt und von dort aus die Landeshauptstadt Linz oft besucht. Nun war es umgekehrt. Er bewohnte im Mesnerhaus am Linzer Pfarrplatz eine geräumige Wohnung, er versah seinen Dienst als fast schon berühmter Dom-Organist zu aller Zufriedenheit, nahm als Chordirigent am bürgerlichen Musikleben aktiv teil und gab in den Häusern gebildeter und wohlhabender Familien Musikunterricht. Wäre er nur der

Mensch Bruckner gewesen, dann hätte dieses durchaus erfüllte und vor den Ansprüchen des Bescheidenen als erfolgreich anzusehende Leben friedlich so weitergehen und enden können. Aber das heimliche Genie meldete nun auch seine Ansprüche an und trieb die Spannung zwischen den verschiedenen Schichten der Persönlichkeit bis an den Abgrund einer schweren Krise, nach deren Überwindung Bruckner die schützende Hülle des Milieus ablegen und den Schritt in das riskante Terrain der Großstadt Wien wagen konnte. In der Linzer Zeit überkreuzten sich die Strahlungen untergehender und aufsteigender Aspekte gefährlich.

Von Linz aus ergaben sich für Bruckner ungleich mehr Kontakte zu Persönlichkeiten des Wiener Musiklebens, als es je vorher möglich gewesen wäre. In Pressenotizen der Hauptstadt wurde der Dom-Organist der Landeshauptstandt gelegentlich erwähnt. Die Beziehung zu seinem Lehrer Simon Sechter wurde enger, sie nahm freundschaftliche Formen an. Daß Bruckner den 36 Jahre älteren Gelehrten, der in Wien unauffällig als Hoforganist und Lehrer am Konservatorium wirkte, glühend verehrte, verstand sich von selbst. Aber auch Sechter wußte, was er an diesem seinem Schüler hatte, dem einzigen vermutlich, der eine bereits zur reinen Schulweisheit versteinerte Kompositionslehre noch einmal mit Inbrunst und altmeisterlicher Strenge übte. Er zögerte nicht, Bruckners Besuche zu erwidern, in Linz Aufenthalt zu nehmen. Man kann sie sich vorstellen, die beiden Sonderlinge, wie sie, möglicherweise zum Gespött der Linzer, in gelehrte Gespräche vertieft durch die Gassen der Stadt spazierten. Nun war Simon Sechter zwar ein hochgeschätzter Musiktheoretiker alter Schule, aber kein eigentlicher Repräsentant der Wiener musikalischen Öffentlichkeit; im Spannungsfeld zwischen Konzertbetrieb, Publikum und Presse hatte er nichts zu suchen. Mit den wirklichen Vertretern des Musiklebens in Beziehung zu treten, wurde für den schüchternen Bruckner wichtiger in dem Maß, in dem er, über das kirchenmusikalische Leben der Provinz hinausstrebend, angewiesen war auf Wirkung und Resonanz in der großstädtischen Öffentlichkeit. Wer Sinfonien komponiert (und Bruckner schrieb nach zwei vorbereitenden Versuchen seine erste, vollgültige Sinfonie noch in Linz), muß einen Dirigenten finden, der sich dafür interessiert und eine Aufführung zuwege bringt. In einer Großstadt natürlich, denn nur von der Großstadt aus gehen die Informationen in die Welt hinaus, durch die schließlich die Karriere des Komponisten «aufgebaut» werden kann. Kontakt mit einem Dirigenten in einflußreicher Stellung zu bekommen, war damals für einen unbekannten Komponisten ungleich wichtiger als heute, im Zeitalter der technischen Musikvermittler und der paritätischen Programmverwaltung. Damals wurde ein Werk aufgeführt, wenn es den Dirigenten so stark überzeugte, daß er den Einsatz wagte. Damals wurde im Konzertsaal, nur in ihm, über das Schicksal der Musik entschieden.

Nicht aus seiner Tätigkeit als Dom-Organist, sondern aus seiner Betätigung im bürgerlichen Musikleben von Linz ergaben sich auf

Johann Herbeck. Um 1870

Umwegen die ersten Kontakte auf der für ihn entscheidenden Ebene des großstädtischen Musiklebens. Die harmlose Liedertafel «Frohsinn» sollte dabei eine Rolle spielen. Das klingt ganz unwahrscheinlich in einer Zeit, die von den Gesangvereinen nur noch beiläufig Kenntnis nimmt, in der man allzu leicht vergißt, daß der aus der Romantik stammende Sangeskult der emanzipierten Bürger im 19. Jahrhundert nicht nur gesellschaftlich, sondern auch musikalisch so etwas wie eine Macht darstellte. Verband sich doch in dieser Sphäre eine ganz neue Pflege der Geselligkeit mit dem Kult vaterländischer Gefühle und Gedanken, denen noch entfernt der Ruch des Revolutionären anhaftete. Dem machtlosen Bruckner kam diese Macht jedenfalls zu Hilfe. Nachdem er der Liedertafel «Frohsinn» zunächst als «zweiter Tenor» und als gewissenhafter Archivar bescheiden gedient hatte, wählte man ihn 1860 zum Dirigenten. Später gab es Ärger, er trat aus der Liedertafel aus, um dann ein zweites Mal wiedergewählt zu werden. Wenn man die internen Vorgänge auf sich beruhen lassen darf, in deren Abfolge Bruckner wie so oft Gekränktheit statt Überlegenheit bewies, dann ergibt sich als wichtiges Resultat, daß er vor der Öffentlichkeit als Dirigent aufzutreten lernte.

Diese Öffentlichkeit erweiterte sich, wenn seine Liedertafel als angesehener Verein dazu aufgefordert wurde, an großen Sängerfesten teilzunehmen, die von bedeutenden Dirigenten besucht und beobachtet wurden, zu denen auch die großstädtische Presse ihre führenden Rezensenten entsandte. Höhepunkt in der Reihe solcher

Eduard Hanslick

Veranstaltungen war das Nürnberger Sängerfest vom Sommer 1861. Dort schloß er zu seinem Glück die Bekanntschaft mit dem Wiener Kapellmeister Johann Herbeck[21], einem vorzüglichen Mann, der als künstlerischer Leiter der «Gesellschaft der Musikfreunde» und als späterer Hofkapellmeister erheblichen Einfluß besaß. Herbeck hat diesen Einfluß, wenn auch manchmal zögernd, so doch immer zugunsten Bruckners verwendet, dessen Bedeutung er frühzeitig erkannt zu haben scheint. Sehr zugute kam Bruckner auch die freundschaftliche Beziehung zu Rudolf Weinwurm[22], der als Akademischer Musikdirektor der Wiener Universität ebenfalls über einigen Einfluß verfügte. Weinwurm hatte seinerzeit den Kontakt zu Simon Sechter hergestellt. Auf einem Sängerbundesfest, das im Sommer 1865 unter riesiger Beteiligung von Chören und Publikum, Fachleuten und Presse in Linz veranstaltet wurde, lernte Bruckner, der als Dirigent des größten Linzer Chores dabei eine gewisse Rolle spielte, endlich auch führende Kritiker kennen. Der Wiener Musikhistoriker Eduard Hanslick[23], berühmt geworden durch die Gegnerschaft zu Wagner und die Freundschaft mit Brahms, durch eine Entscheidung also, die in der damaligen Kontroverse ein maßgeblicher Rezensent, dessen Urteile beachtet wurden, nur entweder so oder so treffen konnte, dieser Hanslick hatte aus der Ferne als Informant der «Neuen Freien Presse» freundlich über Linzer Aufführungen Brucknerscher Werke geschrieben, denen er allerdings nicht beigewohnt hatte. Sicher hätte er die unauffällige Bonität der Brucknerschen Frühwerke zu schätzen gewußt, wäre er ihr Ohrenzeuge gewesen. Erst die Sin-

Franz Liszt

fonien Bruckners mußten ihn zu einer Entscheidung herausfordern. Davon war beim Linzer Sängerfest noch nicht die Rede, die Bekanntschaft ließ sich gut an, Hanslick ermunterte Bruckner, den Schritt nach Wien zu wagen, er versprach Unterstützung und schenkte ihm die Partitur eines Schumannschen Spätwerkes mit freundlicher Widmung. Die traditionelle Bruckner-Biographie konnte nicht umhin, den scheinbaren Widerspruch zwischen Hanslicks persönlich nettem Verhalten in Linz und seiner später so schroffen Stellungnahme als Wiener Rezensent, der zur Entscheidung genötigt war, reichlich unüberlegt als Verrat eines «Judas» anzuprangern. Die Bemerkung «Wen ich vernichten will, den vernichte ich», von Hanslick angeblich beim geselligen Beisammensein nach einem Konzert gemacht, wurde von der Biographie unbesehen aufgegriffen und eilfertig verbreitet. Die Vorstellung, Hanslick habe sie in dieser Form tatsächlich ernst gemeint, erscheint absurd; eine solche Blöße gibt sich kein Rezensent, am wenigsten einer, der über intellektuelle Macht verfügt.

Noch von Linz aus machte Bruckner die Bekanntschaft von Persönlichkeiten, die die internationale Musikwelt repräsentierten und deren Stellungnahme zu seinem Werk von ausschlaggebender Bedeutung hätte sein können. In Budapest, wohin er mit Sangesbrüdern gereist war, um einer Aufführung der «Heiligen Elisabeth» beizuwohnen, lernte Bruckner Franz Liszt [24] kennen, dessen pseudo-genialen und im Grunde potenzarmen Kompositionen er nur relatives

Interesse entgegenbrachte. Zwischen dem Bürger der großen Welt, zu dessen Troß Fürstinnen gehörten, der mit dem Heiligenschein des Geistlichen kokettierte, zwischen Liszt und dem unterwürfig ungeschickten Bruckner gab es keine tiefere Beziehung, auch nicht in der Form einseitiger Verehrung. Was Liszt, dem viele andere Musiker Förderung verdankten, von Bruckners Musik wirklich hielt, wurde nicht bekannt. Um eine Aufführung der ihm gewidmeten *Zweiten Sinfonie* hat sich der Einflußreiche, dessen Wort Wunder wirken konnte, nie gekümmert. Die gleiche Enttäuschung bereitete ihm, Bruckner, auch Richard Wagner. Aber dank der Befangenheit des Hörigen hat Bruckner diese Enttäuschung überhaupt nicht realisiert.

Das Werk Wagners lernte Bruckner in seiner Linzer Zeit kennen und glühend verehren. Hier trat ihm eine gewaltige musikalische Potenz und eine grandiose Könnerschaft entgegen, die in das kleinbürgerliche Milieu der Musik um 1860 wie ein Blitz hineinfuhr. Bruckner erlag Wagners Musik so völlig, wie Wagners Musik es damals forderte und im Grunde immer noch fordert. Er akzeptierte sie so ausschließlich, wie sie im komplementären Vorgang von Wagner-Gegnern damals abgelehnt werden mußte. Die Möglichkeit eines paritätisch nach beiden Seiten verständnisvoll gerichteten Wohlwollens war in der Aktualität jener Kontroversen nicht gegeben. Solches Super-Verständnis hätte den Verdacht erregt, überhaupt nichts verstanden zu haben. Erst muß gekämpft werden, dann kann man Frieden schließen, der musikalische Pazifismus ist eine Erfindung unserer Zeit. Die Wagner-Zeit war der Dreißigjährige Krieg der Musik.

Bruckner lernte den angebeteten Wagner kennen, als er, einem Aufruf des verehrten Meister folgend, im Juni 1865 zur Uraufführung des «Tristan» nach München fuhr. Dem Idol eigene Partituren zu zeigen, traute sich der ängstliche Bruckner noch nicht, und man muß zugeben, daß Wagner in diesen entscheidenden Tagen auch bei größtem Interesse andere Sorgen gehabt hätte. Wagner akzeptierte Bruckners bedingungslose Verehrung leutselig, er trug ihn ein in die Kartei von Anhängern, deren man gänzlich sicher sein konnte. Daß Hans von Bülow [25], der berühmte Dirigent der Uraufführung, den ersten sinfonischen Versuchen Bruckners nur zögerndes Interesse entgegenbrachte, ließ erwarten, daß der spätere Brahms-Künder kein Bruckner-Missionar zu werden versprach. Bruckner saß also im Parkett der Münchner Hofoper, als sich eine der wichtigsten Manifestationen der neueren Musikgeschichte ereignete. Was dabei in dem Linzer Organisten und Chorleiter, dessen Schicksal uns hier einzig interessiert, vor sich ging, kann nur vermutet werden. Sicher ist, daß er beseligt und berauscht war und daß er als Musiker durch unerhört neue Eindrücke tief aufgewühlt und nachwirkend angeregt wurde. Aber was mag er vom Wagnerschen Gesamtkunstwerk wirklich verstanden haben? Die Frage stimmt skeptisch. Beklemmend ist folgende Vorstellung: Bruckner, der auf Anraten seines Beichtvaters den Besuch des Linzer Theaters mied, aus

Richard Wagner

Furcht, es könne das Sündige ihn berühren, wie es sich etwa in der harmlosen Koketterie einer Oper von Lortzing[26] äußert, dieser gleiche Bruckner gab sich arglos und willig den Schauern einer Musik hin, in deren Notenschrift eine ans Obszöne grenzende Brünstigkeit kunstvoll, aber unmißverständlich verschlüsselt ist. Nichts von diesem Aspekt drang in das abgeschirmte Bewußtsein eines Mannes, der bedingungslos bereit war, Wagner zu verehren, jedoch unfähig, ihn auch nur entfernt zu durchschauen. Deprimierend ist weiterhin folgende in ihrer Paradoxie unabweisbare Vermutung: Brahms war durch enge Bindung an Robert und Clara[27] Schumann und ihren Kreis, nicht weniger durch eigene Entwicklung, in einen Gegensatz zu der progressiv programmierenden «Neudeutschen Schule» geraten, deren auch literarisch emsige Propaganda sich Wagner gern gefallen ließ, wenngleich er sich dieser Richtung und den Werken ihrer Vertreter als Komponist turmhoch überlegen fühlen durfte. Brahms war nicht dazu prädestiniert, den aggressiven und taktisch unbedenklichen Wagner zu verehren. Aber als Musiker von unbestechlichem Sachverstand wußte er, der Aufführungen von Wagnerschen Werken gewissenhaft besuchte, Genie und Können seines Widersachers, dem charakterlich zu mißtrauen er allen Anlaß hatte, richtig einzuschätzen. Er hat aus seinem Respekt keinen Hehl gemacht, und man muß leider unterstellen, daß der Skeptiker Brahms mehr von Wagner verstand als der hörige Bruckner.

Um Bruckner war es unwiderruflich geschehen, als ihm eine in der Tat außergewöhnliche Ehre widerfuhr, die er der Bekanntschaft mit Richard Wagner verdankte. Die Liedertafel «Frohsinn» rüstete Anfang 1868 zu einem Festkonzert anläßlich des Gründungsjubiläums, und der Vorstand hielt es für tunlich, Bruckner, dessen Ruf sich gefestigt hatte, zu bitten, die vordem schon innegehabte Leitung erneut zu übernehmen. Außerdem erhoffte man sich von seiner Zu-

Das Münchner Hof- und Nationaltheater, 1840. Stahlstich von Poppel

Robert Schumann mit seiner Frau Clara, geb. Wieck. Lithographie von E. Kaiser, 1874

sage und Fürsprache ein spektakuläres Ereignis. Auf einen Brief des Vereinsvorstandes an Wagner, den man um die Überlassung eines Festchores bat, erfolgte, an Bruckner gerichtet, das überraschende Anerbieten, dem «Frohsinn» die Schlußepisode aus den soeben fertiggestellten und noch nicht aufgeführten «Meistersingern» zur Uraufführung zu überlassen. Hans Sachsens Ansprache mit abschließendem Jubelchor, ein weltberühmtes Stück Musik, erklang zum erstenmal am 4. April 1868 unter Bruckners Leitung in Linz. Keine Phantasie reicht hin, um sich auszumalen, was das für ihn bedeutete. Aber mit einiger Phantasie kann man sich das Bild des Dirigenten Bruckner vorstellen. Bruckner war kein Routinier des Taktstocks, kein Techniker der Chor- und Orchesterleitung; Erinnerungen und Berichte bezeugen, daß er sich häufig ungeschickt benahm und ohnmächtig um Disziplin rang. Aber nicht weniger überzeugend geht aus den Quellen hervor, daß er manchmal, wenn die Stunde gekommen war, die Grenze vom Lächerlichen zum Dämonischen übersprang und ein abgründig-besessenes Temperament entwickeln konnte, vor dessen Faszination das Kichern verstummte und die Aufsässigkeit sich verkroch. Sicher war die «Meistersinger»-Aufführung ein solch denkwürdiger Augenblick.

Wagner, das muß hier eingeschaltet werden, akzeptierte und nutzte Hörigkeit bedenkenlos, gleich ob sie ihm aus der höheren oder der niederen Ebene der Gesellschaft entgegengebracht wurde. Er war unersättlich und nicht wählerisch, er dachte in grauenhafter Weise nur an sein Werk. Große Meister der Vergangenheit verehrte er vor allem insoweit, als er ihr Schaffen auf sein eigenes zuordnen konnte. Richard Wagner und Cosima [28] zögerten nicht, die Hörigkeit eines bayerischen Königs [29] auszubeuten, von dem sie als intelligente und lebenskluge Menschen wissen mußten, daß er wirklichkeitsflüchtig bereits der Geisteskrankheit zustrebte. Ebensowenig zögerte Wagner, sich die bis zu Kniefall und Handkuß gehende Ergebenheit eines schrulligen und total weltfremden Musikers gefallen zu lassen, der durch ein bißchen angewandte Gunst, durch unverbindliches Lob und uneingelöste Versprechungen leicht in einen Rausch von Glück zu versetzen war. Hier muß wieder an den Gegenspieler Brahms gedacht werden, einen bürgerlich anständigen, normalen und vernünftigen Typus, der solche Art von Anhängerschaft, sollte sie ihm auch nützen, als widerwärtig nie in Betracht gezogen hätte. Nun, er war eben ein Einzelgänger, Wagners Machtbereitschaft und Bruckners Unterwerfungsbereitschaft ergänzten sich hingegen fatal. Konnte denn die musikalische Anregung nicht ohne solche persönliche Unterwerfung stattfinden? Die Frage erscheint hypothetisch angesichts des Beispiels Hugo Wolf [30], der als dritter die Kette der Hörigkeit fortsetzte. Wer überhaupt so fragt, verkennt Wagner und den Machtanspruch seines Werkes. Aus der Distanz ist es freilich leicht, festzustellen, daß Wagner, Bruckner und Wolf in der Reihenfolge der Generationen ein und dieselbe musikalische Substanz für drei verschiedene Aufgaben fruchtbar machten: Wagner für das Musikdrama, Bruckner für das sinfonische Epos und Wolf für die lyrische Miniatur. Was hinterher als sinnerfüllt friedlich interpretiert wird, realisierte sich vorher grausam in Verstrickung und Auseinandersetzung. Bruckner, obwohl friedlich und wehrlos, blieb davon nicht verschont; weil er wehrlos war, wurde er geschunden.

In Linz beendete Bruckner seine kompositorische Lehrzeit endgültig. Sie hatte, die Anfänge eingerechnet, dreißig Jahre lang gedauert, fast so lange, wie Schubert überhaupt zu leben vergönnt war. Kein anderer Komponist hat derart gezögert, mit der «freien» Komposition zu beginnen, wie Anton Bruckner. Diese ungewöhnliche Dauer des Lernens erklärt sich aus der rätselhaften Instinktsicherheit, mit der Bruckner weit vorweg in unermüdlicher Arbeit die Werkzeuge für eine Aufgabe schmiedete, von der er erst spät eine dämmernde Vorstellung gewann.

Der Unterricht bei Simon Sechter hatte mit der am Modell des einfachen homophonen Satzes praktizierten Harmonielehre begonnen und schließlich die schwierigsten Grade des «Strengen Satzes» und die kniffligsten Komplikationen des Kontrapunktes erreicht. Bruckner säumte nicht, sich von seinem Lehrer nach Absolvierung jedes dieser Stadien ein gesondertes Zeugnis ausstellen zu lassen.

Richard und Cosima Wagner

Aber er gab sich damit keinesfalls zufrieden. Mit der nicht zu entmutigenden Hartnäckigkeit, die er entwickeln konnte, wenn es sich darum handelte, verstiegen erscheinende Absichten durchzusetzen, bewarb er sich bei der Direktion des Wiener Konservatoriums um die Bewilligung, vor einer Kommission eine offizielle Abschlußprüfung ablegen zu dürfen, obwohl er nicht Schüler dieses Instituts gewesen war. Da aber sein Lehrer Simon Sechter an diesem Konservatorium den musiktheoretischen Unterricht erteilte, konnte man Bruckner die Bitte nicht abschlagen. Sein Ansinnen, man möge ihm nach abgelegter Prüfung den Titel eines Professors der Musiktheorie verleihen, mußte vorerst abgelehnt werden. Die berühmt gewordene Prüfung fand am 21. November 1861 statt. Die von Bruckner schriftlich eingereichten Arbeiten waren so ausgefallen, daß die Kommission es im eigenen Interesse für ratsam hielt, Bruckner vom «Mündlichen» zu befreien, ihm keine Fragen zu stellen, die die Überlegenheit des Prüflings allzu sichtbar gemacht hätten. Dann fand in der

Ludwig II., König von Bayern

Piaristenkirche ein Probespiel statt. Teils ängstlich erregt, teils hochgemut schritt Bruckner nach kurzem Gebet zur Orgel und verblüffte die Mitglieder der Kommission durch die grandiose Stegreifkomposition einer Doppelfuge, deren Thema in letzter Minute noch erschwert worden war. Johann Herbecks freundliche Bemerkung «Er hätte uns prüfen sollen» wurde zum geflügelten Wort. Was Bach noch gegeben war, die Kunst spontaner Kontrapunktimprovisation – nicht als totes Ergebnis von Lehrbuchweisheit, als künstlerische Realität vielmehr –, das wurde inmitten des romantischen Jahrhunderts, das «Improvisation» als Ventil wuchernder Phantasie mißzuverstehen pflegte, in Bruckner überraschend wiederbelebt. Allerdings nur in ihm. Bruckner war ein Anachronismus, ein rätselhafter Einzelfall.

Die überlegene Beherrschung von Harmonielehre, Kontrapunkt, strengem Satz und polyphoner Stimmführung war für Bruckners spätere Meisterschaft eine unerläßliche, jedoch nicht hinreichende Voraussetzung. Er hat das rein kompositorische Handwerk, auch in

Hugo Wolf

der altmeisterlich strengen Ausprägung, in seinen Sinfonien produktiv gemacht. Aber um überhaupt Sinfonien schreiben zu können, mußte er noch einen ihm ganz neuen Abschnitt der Ausbildung absolvieren. Was ihm noch gänzlich fehlte, mußte nachgeholt werden: Kenntnis und Formenanalyse der klassisch-romantischen Orchesterwerke, vor allem aber die Aneignung der modernen Instrumentation, wie sie von Hector Berlioz [31], Franz Liszt und Richard Wagner entwickelt und praktiziert worden war. Die Entdeckung von spätromantischer Harmonik und Klangvorstellung stand ihm noch bevor. All diese Errungenschaften und Entdeckungen bewirkten in Bruckner den Ausbruch einer ganz neuen Quelle der Inspiration.

Zum Geburtshelfer in dieser letzten Phase von Bruckners musikalischer Lehre wurde Otto Kitzler [32], allen Berichten nach ein gebildeter und interessierter Praktiker der Musik seiner Zeit. Bruckner lernte die «neue» Musik durch einen Mann kennen, der viel jünger war als er. Kitzler war als Cellist und als Dirigent viel herumgekommen, er hatte Erfahrungen gesammelt, die er als Erster Kapellmeister am Linzer Theater verwertete und die nunmehr auch Bruckner zugute kamen. Mit der Pünktlichkeit einer wohlwollenden Fügung begann er seine Linzer Tätigkeit genau in dem Augenblick, als Bruckner seine rein kompositorische Ausbildung abschloß und bereit war, sich der

Musik seiner Zeit zu öffnen. Otto Kitzler spielte in der Musikgeschichte Schicksal in ungeahntem Maß; sein eigenes Leben endete tragisch, im Alter von 81 Jahren nahm er sich das Leben. Er war fast noch ein junger Mann, als Bruckner den Unterricht bei ihm begann. Formenlehre und Instrumentationspraxis wurden an Hand von Partituren, vor allem, was unendlich wichtiger war, im Zusammenhang mit realen Aufführungen studiert, die Kitzler leitete. War die rein kompositorische Lehre sinngemäß von Stufe zu Stufe langsam fortgeschritten, so erfolgte nun die Aneignung der aktuellen Praxis förmlich überstürzt, sie nahm kaum zwei Jahre in Anspruch. Aus Kitzlers Händen empfing Bruckner zum erstenmal eine Opernpartitur Wagners zum Studium. Als sein «Lehrling» nahm er in engem Arbeitskontakt teil an den Proben für den «Tannhäuser»; die Aufführung am 12. Februar 1863 wurde für ihn zu einem aufwühlenden und befruchtenden, mithin für das Schicksal der Musik entscheidenden Erlebnis. Nach Kitzlers Weggang fand Bruckner in dem Geiger Ignaz Dorn[33], einem begeisterten Kenner und Verehrer der Werke von Berlioz, Liszt und Wagner, eine Art von Ersatz, ihm verdankte er die Begegnung mit dem «Lohengrin» und dem «Fliegenden Holländer», aber zugleich den Ausbruch einer Inspiration, vor der er selber erschrak. *Mein lieber Dorn, geh, schau einmal das an, d a r f man denn das schreiben?* So frug das Genie den kleinen Kapellmeister ängstlich. Die innere Strömung, die zur sinfonischen Komposition hindrängte, war nun nicht mehr zu dämmen. Im Linzer Jahrzehnt, das überwiegend ein Abschnitt des Lernens war, schien die gewohnte kirchenmusikalische Produktivität zu versickern, sie machte orchestralen Übungen und vorbereitenden sinfonischen Versuchen Platz, unter denen die *g-moll-Ouvertüre*, die *f-moll-Sinfonie* und die von Bruckner als *«Nullte»* bezeichnete *d-moll-Sinfonie* Interesse verdienen, ein Werk, das bereits brennende Verheißung ausstrahlt. Erst als die bis dahin getrennt entwickelten Möglichkeiten der reinen Satztechnik und der instrumentalen Praxis sich zu einem Strom vereinigt hatten, öffneten sich die Schleusen der Produktivität wieder und ließen die ersten Werke entstehen, die von Bruckner und von der Nachwelt registriert und anerkannt wurden. Von der textlich etwas zeitgebundenen Männerchor-Kantate *Germanenzug* darf man absehen. Auffallend ist, wie beflissen sich der Komponist dem Poeten August Silberstein zu unterwerfen bereit war.

Hochverehrtester Herr Doctor!
Ihr über alle Maßen gelungenes, prachtvolles ausgezeichnetes Gedicht habe ich bereits in Händen und statte hiermit meinen tiefsten, innigsten Dank ab. Welche Freude ich und meine Freunde mit dem neu gebornen Germanenzug haben, können Sie sich nicht denken, wenngleich Ihre F a n t a s i e noch so hoch und großartig ist. Später werde ich in Wien mündlich danken. Was rathen Euer Wohlgeboren mir hinsichtlich des Rhythmus? Kann ich doch wohl meinen alten dreitheiligen Rhythmus beibehalten (3/4 Tact) oder soll ich, oder

m u ß ich nicht vielmehr um dem Gedichte gerecht zu werden den zweitheiligen Marschrhythmus wählen ($^4/_4$ Tact), es heißt «Germanenzug» Germanen durchschreiten etc. das macht mir Kopfreißen, ich warte ab und erbitte mir noch, bevor ich anfange, Ihre Ansicht hierüber. Es ist freilich überaus kühn von mir, und sehe ein, daß ich großer Schuldner bleibe; aber das gerechte große Vertrauen, welches ich zu Ihnen habe, nöthigt mich dazu, daß ich H. D o c t o r nebst der Mühe noch Auslagen bereiten muß.

Meinen Dank wiederholend, wie auch meine dringende Bitte um Ihre Ansicht hinsichtlich des Rhythmus (denn zum Zigeuner-Waldlied etc. hatte der 3theilige Rhythmus gepaßt).

Mit Sehnsucht harre ich bittend Ihrer Antwort entgegen.

Ihr dankschuldigster
Anton Bruckner [34]

Die eigentliche schöpferische Phase Bruckners datiert von 1864 an, dem Jahr, in dem die *d-moll-Messe* entstand, als erstes jener großen geistlichen Chorwerke, in denen sich vokaler und orchestraler Anteil die Waage halten. Diese Messe wurde in Linz zuerst im Dom, dann konzertant im Redoutensaal unter Bruckners Leitung aufgeführt. Drei Jahre später erklang sie in der Wiener Hofkapelle. Die Aufführung dieser Messe wurde als ein künstlerisches Ereignis gewertet; das Werk hinterließ bei den Hörern, zu denen viele gebildete Musikfreunde gehörten, einen tiefen Eindruck, es wurde von den Kennern und von der Presse, auch der großstädtischen, günstig beurteilt. Was an ihm neu war, verglichen mit ähnlichen Werken der Klassiker oder gar mit der seichten Produktion des mittleren 19. Jahrhunderts, wurde gewürdigt, ohne Unverständnis zu provozieren. Etwas bedrückt muß man feststellen, daß diese *d-moll-Messe* zu den wenigen Werken Bruckners gehörte, die nicht verrissen wurden, die nicht anfangs scheiterten. Wenn Bruckner damals vom Erfolg träumen konnte, so wurde er durch das Schicksal seiner nächsten großen Komposition über die Möglichkeit des Mißerfolgs und über die Notwendigkeit, den Mißerfolg zu bestehen, gründlich belehrt.

Ich arbeite gerade an einer C-moll Symphonie (Nr. 2) u. kann da öfter halbe Wochen nichts thun vor Stunden u. dgl. Ich glaube mit dieser (wenn die ferneren Theile nicht auslassen) sollst Du eine Freude bekommen; ich Welt- u. Menschenfeind auf's Neue, suche da einige Linderung über die hübsche Behandlung in Linz. Könnte ich nicht in Deiner Nähe wohnen? Der Himmel gebe es! u. Du wirst mir gewiß helfen – Du bist mein einziger Trost hier. Sei nicht böse. Thue was Du wünschest, ich werde mein aller-Möglichstes auch thun. [35]

Es ging um die von ihm autorisierte *Erste Sinfonie* in c-moll, die in den Jahren 1865 und 1866 entstanden war. Ehe man in die zur leidigen Gewohnheit gewordene Anklage wegen mangelnden Verständnisses einstimmt, gilt es zu bedenken, daß es auch den selbstverschuldeten Mißerfolg gibt. Ein Komponist muß wissen oder wenigstens erwägen, welches Werk er wo, vor welchem Publikum, mit welchen Mitteln aufführt. Die Gelegenheit muß günstig sein, Geschick im Umgang mit der Gelegenheit ist keine Schande, Ungeschick kein Verdienst. Brahms, dem man gewiß weder Skrupellosigkeit noch Raffinement des Managements nachsagen kann, ermaß sehr sorgsam, wo er seine Uraufführungen ansetzte; meist stand ihm die Gunst der Gelegenheit zur Seite. Einmal angenommen, Bruckner hätte die Partitur seiner «Ersten» einem erfahrenen, musikverständigen und fortschrittlich gesinnten Veranstalter gezeigt, dann wäre ihm vermutlich folgender Rat zuteil geworden: Diese merkwürdige Sinfonie kann Verständnis finden oder gar Erfolg haben allenfalls dann, wenn sie in einer maßgebenden Musikstadt – vorangehende Presseinformationen und Kontakte mit einflußreichen Kritikern natürlich vorausgesetzt – vor einem künstlerisch interessierten Publikum durch ein erstrangiges Orchester unter der Leitung eines bedeutenden Dirigenten aufgeführt wird, der überdies Prestige mitbringt. Diese utopische Gelegenheit herbeizuführen, wäre damals sehr schwer gewesen, aber man muß zugeben, daß Bruckner nichts tat, um sie vorzubereiten. Sein Ungeschick war grenzenlos, und er, der zu Unselbständigkeit und Weltfremdheit förmlich erzogen worden war, beharrte mit der naiven Ungeduld des Schöpfers, der sein erstes «eigentliches» Werk endlich realisiert wissen möchte, darauf, die *c-moll-Sinfonie* am 9. Mai 1868 nach qualvollen Proben durch ein mittelmäßiges und unlustiges Orchester vor einem aus Klerus, Aristokratie und Kleinbürgern heterogen zusammengesetzten Publikum selber aufzuführen. Er setzte selbst seine Freunde in Verlegenheit. «Die meisten Musiker betrachteten die Aufführung als ‹Hetz›, das Werk war von vornherein begraben in Heiterkeit», so vermerkt es die Biographie[36] bekümmert, ohne sich einzugestehen, daß es anders gar nicht hätte kommen können.

Warum? Ohne der eigentlichen Werkbeschreibung vorzugreifen, ohne auf Einzelheiten einzugehen, läßt sich die minimale Chance von Bruckners «Erster» nachträglich errechnen. Die Sinfonik der Klassiker lag weit zurück; bis Brahms seine «Erste» schrieb, sollte es noch acht Jahre lang dauern. Als Bruckner die ersten Takte seiner *c-moll-Sinfonie* skizzierte, befand sich die sinfonische Landschaft im Zustand totaler Sterilität. Mendelssohn[37], den Bruckner verehrte, blieb ein beliebtes, aber verblassendes Vorbild, Schumanns Schöpfungen strahlten keine nachwirkende Kraft aus, und Schuberts späte Sinfonien, die als im Typus verwandt auf Bruckner hätten vorbereiten können, wurden mit so großer Verspätung entdeckt, daß sie keine Entwicklung mehr anregen, kein neues sinfonisches Bewußtsein begründen konnten. (Schuberts «Unvollendete» wurde zwei Jahre nach Bruckners «Erster» uraufgeführt!) Es herrschte Windstille, keine Erwartung lag in der Luft, auf die sich Bruckners Erstling hätte berufen können. Das Neue an seiner *c-moll-Sinfonie* lag nicht auf der Linie der damaligen Fortschrittstendenz, die auf die «Sinfonische Dichtung», nicht aber auf eine sonatenhafte Sinfonie zielte. Das Werk wirkte nicht eigentlich modern, es wirkte wirr und un-

Gloria

Allegro

Flauti
Oboe
Clarinetti in B
Fag
Corni in F
Solo
Trombi in D
Timp. in D
Tromboni
Violino I.
II.
Viola
legato
Sopr.
Alt
Ten
Bass.
Et in terra pax homini
Basso e Cello

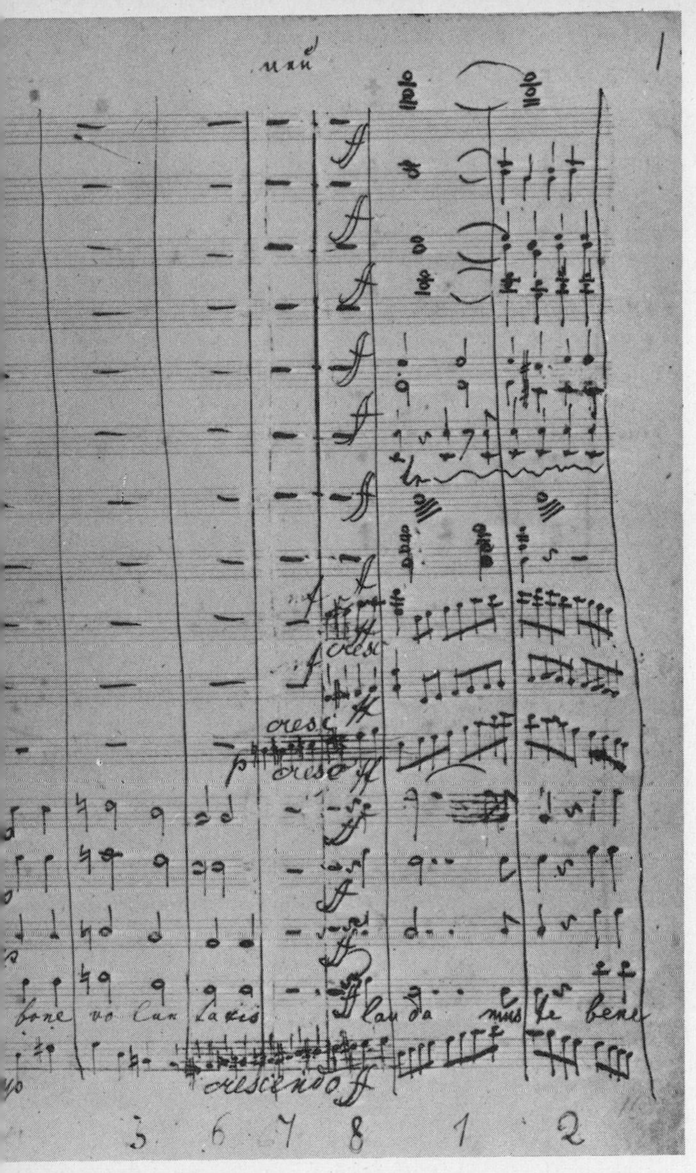

Manuskript der «Messe in d-moll» (Beginn des Gloria)

verständlich. Wäre seine musikalische Sprache wenigstens wagnerisch gewesen... Wenn man bedenkt, daß der Bruckner-Anhänger Hugo Wolf noch im Jahre 1891 vor der ausgefeilten und «gemilderten» Fassung kapitulierte, die der inzwischen in der Orchesterpraxis gereifte Bruckner mitten in der Arbeit an seiner «Neunten» hergestellt hatte, dann muß man einsehen, wie aussichtlos das Linzer Vorhaben gewesen war. Nachträglich steht man ratlos vor Bruckners damaliger Situation. Man muß es als ein ihm nicht zu ersparendes Schicksal hinnehmen, daß er mit seinen ersten Sinfonien ganz unverstanden blieb. Man kann es aber auch der Bruckner-Pietät nicht ersparen, daß sie, deren Wurzeln noch in der damaligen Freund-Feind-Verstrickung lagen, ihre Stellung gegenüber Bruckners Gegnern revidiert und die Anklage wegen böswilligen Unverständnisses überdenkt.

Eduard Hanslick hatte weder die Linzer Aufführung gehört noch kannte er die Partitur der Brucknerschen «Ersten». Trotzdem ließ er in der «Neuen Freien Presse» einen Bericht erscheinen, der dem Wiener Publikum einen günstigen Eindruck von Werk und Aufführung suggerierte. Wie nett, sollte man denken. Aber die traditionelle Bruckner-Biographie interpretierte Hanslicks Verhalten unbesehen als heimtückisch – in dem Sinn etwa, daß er den arglosen Komponisten durch vorgetäuschtes Wohlwollen nach Wien zu locken trachtete, um ihn dort vernichten zu können. Jeder Instinkt für die Wirklichkeit einer solchen Situation läßt vermuten, daß Hanslick, der nur die kirchenmusikalischen Werke in ihrer unauffälligen Qualität kannte, jedoch mit dem Spürsinn des begabten Kritikers eine noch zu erschließende Genialität in Bruckner gewittert zu haben scheint, die zu protegieren ihn gereizt haben muß, ihm wirklich helfen wollte. Daß er sich aber, wäre ihm die «Erste» damals begegnet, entsetzt von dem Werk hätte distanzieren müssen, so wie er auch die späteren Sinfonien ablehnen mußte. Nicht aus purer Infamie, wie der Teufelsglaube der Bruckner-Pietät es wahrhaben möchte, sondern in Wahrung seiner ästhetischen und kulturpolitischen Stellungnahme, die, wie sehr sie sich im Fall Bruckner als verhängnisvoll irrig erweisen sollte, dennoch eine begründete, eine qualifizierte war. Wenn man bedenkt, daß sich im Vordergrund damaliger Auseinandersetzungen die längst zur schalen Reminiszenz verblaßte «Neudeutsche Richtung» mit ihrer programmatischen Geschäftigkeit breitmachte, dann muß man Hanslicks Einstellung, auch wenn sie Bruckner gänzlich verkannte, ihn gewissermaßen verwechselte, doch einen guten Instinkt, einen «wahren Kern» zubilligen. Nebenbei bemerkt: seine Schriften verwelkten nicht zur Makulatur, sie sind heute noch lesbar.

Noch in der Linzer Zeit entstanden die beiden *Messen in e-moll* und *f-moll*, zwei Werke, die heute noch uneingeschränkt Bewunderung erregen. Uraufgeführt wurden sie erst, nachdem Bruckner nach Wien übergesiedelt war. Auch diese Messen mehrten das Ansehen Bruckners durchaus, aber an dem schweren Werdegang seiner Sinfonik konnten sie nichts ändern. Helfen konnte ihm auch nicht das wohlwollende Interesse des in Linz amtierenden Bischofs Franz Josef Rudigier[38], eines streng-religiösen Mannes, der oft in Bruckners Orgelspiel Erbauung suchte und sich um die Seelsorge des von ihm verehrten Musikers kümmerte – besonders eifrig, als Bruckner in die Krise seines Lebens eintrat.

Im Frühjahr 1867 mußte sich Bruckner den Ausbruch von Depressionen und nervlichen Störungen eingestehen, deren quälende Symptome ihn veranlaßten, sich in der Kuranstalt Bad Kreuzen einer Behandlung zu unterziehen, die man heute als «Naturheilverfahren» bezeichnen würde. Schwitzbäder, Packungen, Waschungen und Diät wurden verordnet, jede geistige Tätigkeit hingegen streng untersagt. Klinisch galt Bruckner dort als ein ernster Fall, die ihm eigene Marotte, alle möglichen Gegenstände zählen zu müssen, steigerte sich zur bedenklichen Zwangsneurose. Die Angst vor der Geisteskrankheit rang in ihm mit der religiösen Zuversicht, die ihm ein vom Bischof Rudigier zu seinem Beistand in die Anstalt entsandter Priester einflößte.

Seit meiner Abreise von Wien weißt Du nichts mehr von mir. Auch Du ließest mir nie etwas wissen. Da ich voraussetze, daß es Dir doch recht ist, etwas von mir zu wissen, und da auch andere Gründe dazu verpflichten, bin ich so frei, Dir zu schreiben und vor Allem mich zu entschuldigen, daß ich noch nicht Deinem Wunsche nachkommen konnte! Magst Du Dir denken oder gedacht haben – oder gehört haben was immer! – ! Es war nicht Faulheit – es war noch viel mehr!!! –!; es war gänzliche Verkommenheit und Verlassenheit – gänzliche Entnervung und Überreiztheit! Ich befand mich in dem schrecklichsten Zustande; Dir, nur Dir gestehe ich's – schweige doch hierüber. Noch eine kleine Spanne Zeit, und ich bin ein Opfer – bin verloren. Dr. Fadinger in Linz kündigte mir den Irrsinn als mögliche Folge schon an. Gott sei's gedankt! er hat mich noch errettet. Ich bin seit 8. Mai im Bade Kreuzen (bis 8. Aug.) bei Grein. Seit einigen Wochen geht's mir etwas besser. Darf noch gar nichts spielen, studieren oder arbeiten. Denke Dir welch ein Schicksal! Ich bin ein armer Kerl! Herbeck sandte mir die Partituren meiner Vocal Messe und Symphonie ohne ein Wort zu schreiben. Ist denn alles gar so schlecht. Erkundige Dich doch einmal. Liebster Freund, schreib mir doch einmal in meinem Exil mir Armen, Verlassenen.[39]
Der Krankheitszustand hielt fünf Monate an, kaum aus der Kuranstalt entlassen, stürzte sich Bruckner in die Arbeit an der *f-moll-Messe.*

Es ist nicht indiskret, wenn man sich über die Art dieser Krise und über ihre Ursachen Gedanken macht. Angesichts der vielschichtigen Natur Bruckners kommt man ohnehin über Vermutungen und Andeutungen nicht hinaus; eine ärztliche Diagnose wurde nicht überliefert. Eine der Ursachen lag unzweifelhaft in physischer Überarbeitung und nervlicher Überlastung. Bruckner war ein Arbeitstier und ein Pflichtmensch, das Quantitative seiner Leistung war riesig, später wurde es unvorstellbar. Er übernahm sich, von daher mußte einmal eine Krise kommen. Sie fiel wie vom Schicksal diktiert zusammen mit der großen künstlerischen Krise. Der Musiker Bruckner mutierte, er ließ die Geborgenheit der kirchenmusikalischen Sphäre hinter sich und betrat die schmale Brücke, die ihn im Dienst einer ganz neuen Aufgabe in die Welt des großstädtischen Risikos führte. Diese künstlerische Umschichtung mußte den ganzen Menschen erschüttern. Und schließlich mag sexuelle Resignation zu der großen Krise beigetragen haben. Der dreiundvierzigjährige Mann, der bis zur letzten Konsequenz keusch gelebt haben dürfte, ohne pfiffigen Seitensprung, ohne Heimlichkeiten, mußte sich mit dem erotischen Mißerfolg abfinden. In einem Brief aus jener Zeit, in dem er um ein Mädchen warb, deutete er die drängende Not mit rührender Aufrichtigkeit an.

Sehr geehrtes, liebenswürdiges Fräulein!

Nicht als ob ich mich mit einer Ihnen befremdenden Angelegenhat an Sie, verehrtes Fräulein, wenden würde, nein in der Überzeugung, daß Ihnen längst mein zwar stilles, aber beständiges Harren auf Sie bekannt ist, ergreife ich die Feder um Sie zu belästigen. Meine größte und innigste Bitte, die ich hiemit an Sie, Frl. Josefine zu richten wage, ist, Fräulein Josefine wollen mir gütigst offen und aufrichtig Ihre letzte und endgiltige aber auch ganz entscheidende Antwort schriftlich zu meiner künftigen Beruhigung mitteilen und zwar über die Frage: Darf ich auf Sie hoffen und bei Ihren lieben Ältern um Ihre Hand werben? oder ist es Ihnen nicht möglich aus Mangel an persönlicher Zuneigung mit mir den ehelichen Schritt zu thun? Fräulein sehen, daß die Frage ganz entscheidend ist, das eine oder andere bitte ich inständigst mir so bald als möglich eben so entschieden, aber gewiß, ebenso entschieden zu schreiben. Bitte, sagen Fräulein Josefine dieß Ihren lieben Ältern aber sonst Niemanden (bitte das strengste Geheimniß bewahren zu wollen) und wählen Sie einen aus den vorgelegten zwei Punkten der Frage im Einverständniße mit Ihren lieben Ältern. Mein treuer Freund Ihr Herr Bruder hat bereits mich auf Alles vorbereitet und wird auch Sie schon seinem Versprechen gemäß verständigt haben. Nochmal meine Bitte: wollen Fräulein ganz offen und aufrichtig und ganz entschieden schreiben entweder: ich darf um Sie werben, oder gänzliche ewige Absage, (kein Mittelding etwa vertrösten oder umschreiben, da bei mir die höchste Zeit bereits vorhanden ist) (zudem wird sich Ihr Gefühl nicht leicht verändern, weil Fräulein sehr vernünftig sind). Fräulein dürfen die reine Wahrheit mir unbesorgt sagen, weil selbe in jedem Falle mir Beruhigung gewähren wird. Mit Handkuß einer möglichst baldigen entschiedenen Antwort entgegenharrend

Anton Bruckner.[40]

Der durch den Fluch des Sündigen negativ potenzierte Sexus bereitete Höllenqualen, gegen die Bruckner mit Gebet ankämpfte und

Josefine Lang, die Empfängerin des Briefes. Anonyme Zeichnung

von denen er ausschließlich durch eine Heirat hätte erlöst werden können. Die Zahl der von ihm unternommenen Versuche ist erschreckend. Die Biographie registriert sie alle teils mitfühlend, teils humorig, und sie kommt zu dem Schluß, daß die vielen Mädchen, um die Bruckner vergeblich warb, durch das befremdliche und manchmal direkt lächerliche Gebaren des Verliebten irritiert wurden und sich dergestalt der Möglichkeit, die Frau eines Auserwählten zu werden, nicht gewachsen erwiesen. Nun war und ist geistige Ebenbürtigkeit in Musikerehen, auch wenn man deren vermutbare Problematik ununtersucht lassen will, so selten, daß man sie als eine dem Wunschdenken der Künstlerpietät entspringende Illusion auf sich beruhen lassen kann. Nicht-ebenbürtige, aber gute Ehen waren häufig; nur eine solche wäre für Bruckner in Frage gekommen, man hätte sie ihm gewünscht. Aber der geniale Mensch hat ebenso-

Wien

wenig wie jeder andere Mensch einklagbaren Anspruch auf Liebe, außer es gelingt ihm, Liebe zu wecken. Liebe wecken setzt voraus, daß man selber lieben kann. Bei all den Erörterungen über den Eros des Menschen Bruckner wird immer wieder voll lobender Genugtuung bestätigt, daß er eines lockeren Abenteuers auch moralisch gar nicht fähig gewesen wäre, hingegen die ungleich wichtigere Tatsache tunlich außer acht gelassen, daß er zwar oft verliebt war, jedoch in keinem Fall wirklich geliebt hat. Die tiefe, unausweichliche Bindung an eine und nur eine Frau scheint Bruckner nicht erlebt zu haben, eine Leidenschaft, deren zwingende Gewalt auch die widerstrebende Frau hätte faszinieren und mit dem skurrilen Gebaren des Liebenden versöhnen können. Unbeantwortbar ist die an die Geheimnisse der Tiefenpsychologie rührende Frage, wo denn bei dem vitalen und seelenhaften Bruckner die große Liebe geblieben ist. Unbeantwortbar ist weiterhin die hypothetische Frage, ob es gut für Bruckner gewesen wäre, wenn ihm dieses oder ein anderes Mädchen das Jawort gegeben hätte (und sei es eines, das die Musikerpietät nicht als seiner würdig anzuerkennen bereit gewesen wäre). Nicht einmal davon war die Rede, die Frage erübrigt sich.

Am 10. September 1867 – Bruckner hatte gerade mit neuen Kräften die Komposition der *f-moll-Messe* begonnen – starb in Wien sein verehrter Lehrer Simon Sechter. Zum erstenmal tat sich für Bruckner die reale Möglichkeit auf, in Wien beruflich Fuß zu fassen. Als wohl einziger unter den damals lebenden Musikern besaß er die Anwartschaft, das pädagogische Erbe Sechters anzutreten. Die legendär gewordene Prüfung von 1861 hatte ihm das bestätigt, niemand zweifelte ernstlich daran, daß er mit weitem Vorsprung über unbestrittene Meisterschaft im strengen Satz, im Kontrapunkt und in der Harmonielehre verfügte. Daß er nicht nur den Kontrapunktiker, sondern auch den Organisten Sechter im Dienst der Hofkapelle ersetzen konnte, verstand sich von selbst, als Orgelvirtuose hatte Bruckner weit und breit keine Konkurrenz zu befürchten. Wenn sich Bedenken meldeten, dann betrafen sie ausschließlich seine partiell fleißig erworbene, jedoch nicht umfassend fundierte Bildung, seinen Mangel an jener Intellektualität, die ein höheres Lehramt stillschweigend voraussetzt, und sein naiv-skurriles Gehabe, das irgendwie nicht in die gesellschaftliche Sphäre der Großstadt paßte, die dort nun einmal die Bedingungen stellt. Auch sprach er unverfälscht seinen Heimatdialekt, und alle Versuche wohlmeinender Damen, ihn zu einer gewissen modischen Anpassung der Kleidung zu bewegen, schlugen fehl. «Welcher Tischler hat Ihnen denn diesen Anzug gemacht?» frug eine einflußreiche Gönnerin resigniert. Er hatte keine Eßmanieren. Hätte es sich ausschließlich um die rein musikalisch-fachliche Lehrtätigkeit an dem Konservatorium und um das Organistenamt gehandelt, dann wären diese Umstände bei geschickter Behandlung der Angelegenheit kein ernstliches Hindernis gewesen. Bruckner hat die Ämter ja auch erhalten, im Juli 1868 wurde er als Professor für Orgelspiel, Generalbaß und Kontrapunkt am Wiener Konservatorium angestellt, im September ernannte man ihn zum Organisten der Hofkapelle. Rasch und ohne Schwierigkeiten, so schien es, hatte er zwei wichtige Ziele erreicht. Immerhin war er des berühmten Simon Sechters Nachfolger geworden. Die Schwierigkeiten brockte er sich selber ein. Er setzte es sich in den Kopf, Universitätsdozent zu werden. Im November 1867, also noch von Linz aus, bewarb er sich beim Dekan der philosophischen Fakultät um die Anstellung als Lehrer der «musikalischen Komposition», um ein Amt, das es noch gar nicht gab und das für ihn erst eigens hätte geschaffen werden müssen. Die Voraussetzungen dafür waren denkbar ungünstig, weil einige Jahre vorher Rudolf Weinwurm, der Akademische Musikdirektor, mit dem Bruckner befreundet war, um die Schaffung eben jenes Amtes für sich selber eingekommen war, Professorenkollegium und Staatsministerium den Antrag jedoch abgelehnt hatten mit der Begründung, Kompositionsunterricht gehöre nicht an die Universität, ein Konservatorium sei das dafür geeignete Institut. Bruckner forderte, was er hätte bedenken müssen, den Präzedenzfall heraus. Als Gutachter mußte Eduard Hanslick eingeschaltet werden, der die Professur für musikalische Ästhetik als echtes akademisches Amt innehatte und dem innerhalb der traditionsreichen Sphäre «Wiener Universität» eine ziemlich genau definierte Verantwortung übertragen war. Bei aller Würdigung vorliegender Zeugnisse berief er sich in seinem negativen Gutachten, wie hätte er anders können, darauf, daß und aus welchen Gründen damals der Antrag des Akademischen Musikdirektors abgelehnt worden war, obwohl dieser füglich mehr Anspruch auf das in Frage stehende Amt gehabt hätte als der der Universität fernstehende Herr Bruckner. Die Bruckner-Pietät verschiebt bei der Analyse dieser Situation alle Perspektiven. Die gängige Version, der gebildete Intellektuelle Hanslick habe in Bruckner auf der akademischen Ebene einen Konkurrenten gefürchtet, ist nicht ernst zu nehmen. Bruckner wollte lediglich an der Universität kompositorisches Handwerk lehren, in dessen Beherrschung er Meister war. Aber Musikgeschichte, wissenschaftlich betrieben, oder gar Musikästhetik waren ihm kaum zugängliche Disziplinen. Hanslick kannte und anerkannte Bruckner lediglich als ausgezeichneten Organisten – was bei der Sache nicht mitsprach – und als Komponist gediegener Kirchenmusik. Was ihm nicht entgangen sein konnte, war das Auffällige an Bruckner, der teils provinziell, teils infantil begrenzte Habitus eines rührend-liebenswerten Musikanten. Der Gedanke, diesem den Weg in die akademische Sphäre ebnen zu sollen, mußte Hanslick unbehaglich sein. Auch hätte er damals, als Bruckner noch in Linz wirkte, keinerlei Argument zur Hand gehabt, um Bruckners Absichten, sofern er sie überhaupt billigen konnte, mit Nachdruck durchzusetzen. Alles sprach dagegen, nichts dafür. Daß Bruckner mit der ihm eigenen Zähigkeit und dank mancherlei Hilfe, die dem so offensichtlich Hilflosen immer wieder zuteil wurde, auch dieses so unerreichbar scheinende Ziel später doch erreichte, hätte für die Bruckner-Pietät Anlaß sein können, auch Hanslicks damaliges Verhalten objektiv zu beurteilen. Man verlange vom Vorurteil nichts Unmögliches. Bruckner sah nun in Hanslick den Verfolger, der Riß des Zerwürfnisses tat sich auf, aber niemand kann behaupten, Hanslick habe böswillig den ersten Schritt dazu getan.

KONSERVATORIUMSPROFESSOR IN WIEN

Am 1. Oktober 1868 begann Bruckner in Wien seine Lehrtätigkeit am «Konservatorium der Gesellschaft der Musikfreunde», dessen Gebäude sich damals unter den «Tuchlauben» befand. Nicht weit davon mietete er eine Wohnung im zweiten Stock des Hauses Währingerstraße 41. Bis zum Frühjahr 1870 führte ihm seine Schwester Anna dort den schon in Linz betreuten Haushalt weiter, nach ihrem Tod behalf er sich mit einer Bedienerin, die ihm an Schrulligkeit nicht nachstand. Besitzer und Mitbewohner des Hauses bezeichneten ihn als Sonderling.

Die Anstellungsbedingungen am Konservatorium erscheinen auch heute noch normal. Zwar war Bruckner der Nachfolger des berühmten Theoretikers Simon Sechter geworden, aber man muß sich im Rückblick vor der irrigen Vorstellung hüten, als sei er zu dieser Zeit bereits als Komponist bekannt gewesen oder gar anerkannt worden. Bruckner leitete keine «Meisterklasse für Komposition», er gab Un-

Unter den Tuchlauben: Das alte Gebäude des Musikvereins. Auch das Konservatorium befand sich hier

terricht in Harmonielehre und Kontrapunkt. Wenn man die kärgliche Entlohnung von insgesamt 800 Gulden mit Recht bemängelt – auch Simon Sechter mußte sich einschränken –, so muß doch andererseits anerkannt werden, daß die Klasse «Orgelspiel» zum erstenmal für Bruckner eingerichtet worden war und daß, nachdem sich Schwierigkeiten mit der Benutzung von Kirchenorgeln zum Zweck des Unterrichts und zu Übungszwecken ergeben hatten, nach Überwindung bürokratischer Widerstände verhältnismäßig rasch eine provisorische Konservatoriumsorgel angeschafft wurde. Bruckners Lehrtätigkeit stand nichts im Wege, die magnetische Anziehungskraft des Wiener Musiklebens und der Ruf des Konservatoriums sorgten dafür, daß er es überwiegend mit begabten Schülern zu tun hatte, von denen viele ihren Weg machten.

Die nicht mit allzuviel Dienst belastete Tätigkeit als Organist an der musikgeschichtlich ungeheuer traditionsreichen «Kaiserlichen Hofkapelle» wurde vorerst nicht honoriert, aber man muß wiederum

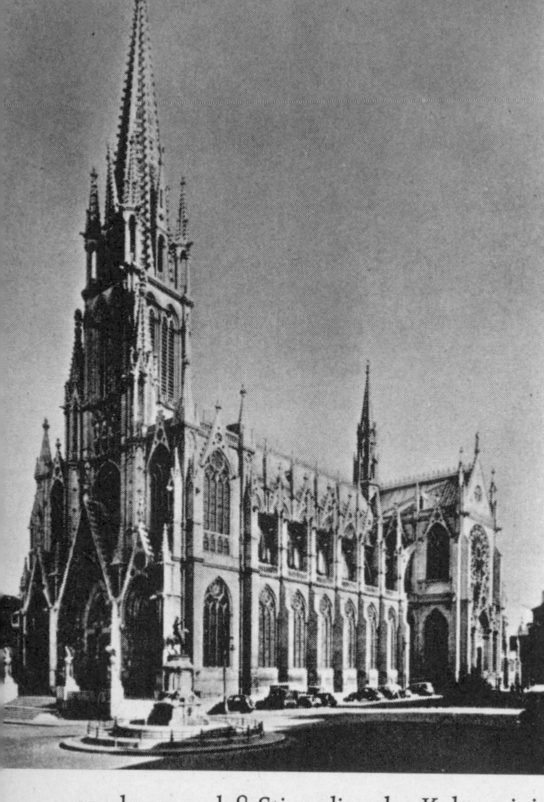

Die Kirche St-Epvre in Nancy

anerkennen, daß Stipendien des Kultusministeriums einen gewissen Ausgleich schufen. Anfangs besuchte Bruckner interessiert die Vorlesungen Hanslicks, die späteren Widersacher verkehrten trotz anhebender Verstimmung noch freundschaftlich miteinander. Da erscheint es nun wieder ganz abwegig, wenn die Bruckner-Pietät den vorbehaltlosen Einsatz des Rezensenten Hanslick für den erfolgreichen Orgelvirtuosen Bruckner kurzerhand ummünzt in einen Verrat an dem Komponisten Bruckner, von dem zu dieser Zeit in Wien noch gar nicht die Rede sein konnte. Die Aufführung der «Ersten» war in der Provinzstadt Linz verpufft, die «Zweite» noch nicht geschrieben. An der *«Nullten»* feilte der Komponist unentschlossen herum, ohne den festen Willen, sie aufzuführen. Meßkompositionen standen zu jener Zeit außerhalb des kritischen Wettbewerbs, der Orgelspieler rückte in den Vordergrund. In den letzten Apriltagen des Jahres 1869 wurde in Nancy eine moderne und großartig disponierte Orgel durch ein Wettspiel eingeweiht, zu dem die maßgebenden Organisten Frankreichs eingeladen waren. Daß auch der Österreicher Bruckner sich daran beteiligte, beruhte auf historischen Zusammenhängen: in St-Epvre, dem Schauplatz des Wettbewerbs,

Paris: Notre-Dame

London: Albert Hall

Gustav Mahler, 1896

ruhten die lothringischen Ahnen der Habsburger, der Wiener Hof ließ sich durch Bruckner, den auch Hanslick empfahl, musikalisch vertreten. Er brauchte es nicht zu bereuen, Bruckner setzte Jury, Konkurrenten und Publikum durch hinreißendes Orgelspiel und durch eine freie Improvisation sondergleichen derart in Erstaunen, daß er sofort zu zwei Konzerten nach Paris eingeladen wurde. In Notre-Dame improvisierte er über Themen seiner *Ersten Sinfonie*. Camille Saint-Saëns [41], Charles Gounod [42], César Franck [43], Daniel François Esprit Auber [44] und Ambroise Thomas [45] gehörten zu den Zuhörern, sie waren des Lobes voll. Gekrönt wurden diese Erfolge des Organisten Bruckner zwei Jahre später durch Konzerte, die er in London in der Albert Hall und im Kristallpalast gab. Durch diese internationalen Erfolge erwarb Bruckner sich allgemeine Anerkennung und nicht zuletzt das verläßliche Wohlwollen des Hofes. Insgesamt sah es so aus, als könne er in Wien unangefochten ein gemächliches Leben führen. Die Mission des Sinfonikers ließ es nicht dazu kommen.

Der neue sinfonische Ausbruch hatte sich während der England-Reise vorbereitet. Am 10. August 1871 begann er noch in London mit der Niederschrift des Finales einer *c-moll-Sinfonie*, der «Zweiten» im großen Zyklus. Da dieses Finale nicht irgend ein Schlußsatz unter anderen möglichen Schlußsätzen ist, sondern einer, der unmißverständlich motivischen Bezug auf die vorangegangenen Sätze nimmt, muß zwingend angenommen werden, daß Bruckner die Vorstellung von dem Ganzen des Werkes schon geraume Zeit heimlich mit sich herumtrug. Von diesem Datum an könnte man den Orgelspieler und den Kontrapunktlehrer Bruckner aus dem Auge verlieren, wenn nicht auch in diesen scheinbar unproblematischen Tätigkeitsbereichen Züge sichtbar geworden wären, deren Registrierung für das Persönlichkeitsbild des Komponisten wichtig ist.

Unter strikter Innehaltung des Stundenplans gab Bruckner am Wiener Konservatorium mit großer Gewissenhaftigkeit Orgelstunden und Unterricht in Harmonielehre und Kontrapunkt. Während der Komponist Bruckner erstaunliche, geradezu unvorhersehbare Entwicklungen durchmachte, zog der Dozent Bruckner keine Veränderung des zu lehrenden Handwerks in Betracht. 23 Jahre lang hielt er streng am gleichen Lehrplan, an der gleichen Methode fest, offenkundig erfüllt von der Überzeugung, daß jede Art von Komposition auf der Beherrschung eines absolut gültigen und unveränderlichen Handwerks zu beruhen habe. Was er lehrend weitergab, war genau das, was er von Simon Sechter gelernt hatte: die Kombination einer auf Jean-Philippe Rameaus [46] Theorien beruhenden Harmonielehre mit dem Kontrapunkt, wie ihn Johann Joseph Fux [47] in seinem Lehrbuch «Gradus ad Parnassum» als «Strengen Satz» kodifiziert hatte. In Bruckners Schöpfungen war diese im Grunde spätbarocke Handwerkslehre wie in einem unwiederholbaren Wunder noch einmal produktiv geworden. Nicht etwa dergestalt, daß Bruckner ein passionierter Fugenschreiber geworden wäre, wohl aber insoweit, als die altmeisterliche Kunst des strengen Satzes als integraler Bestandteil in die Stimmführung und in die innere Architektur seiner Sinfonik einging. Im späten 19. Jahrhundert verbündete sich Schulweisheit überraschend mit dem Genie. Aber Wunder wiederholen sich nicht. Bruckner gab das Gelernte mit unerbittlichem Lernzwang weiter, wie eine Pflicht, der sich komponierende Musiker unbesehen zu unterwerfen haben. Die Frage, ob seine strenge Handwerkslehre für die Begabungen einer jüngeren Generation noch anregend und sachlich maßgebend sein könnte, wäre ihm frevelhaft erschienen. Ihn scheint auch gar nicht interessiert zu haben, ob denn aus seiner Klasse ein Komponist von einigem Rang hervorging. Unter den Komponisten, die ihrem Alter nach seine Schüler hätten sein können, ragten Gustav Mahler und Hugo Wolf hervor. Beide haben ihn verehrt, und Mahler als Sinfoniker hat zweifellos vom Sinfoniker Bruckner gelernt, aber beide waren nicht im Sinn des strengen Lehrplanes seine Schüler; Hugo Wolf verachtete den Kontrapunkt geradezu. Komponisten geringeren Ranges, wie Friedrich Klose [48] und andere, die wirklich seine Schüler waren, haben verstohlen unter der Zwangsjacke seines Unterrichts geächzt, dessen Dogmatik bei schwächeren Begabungen die schöpferische Anlage zu ersticken drohte.

Bruckner war ein guter Lehrer insoweit, als er die Tonsatztechnik, die er lehrte, selber überragend und mit dem Akzent des Genialen beherrschte. In der Sache war er Autorität. Bruckner war ein schlechter Lehrer insoweit, als er die Einfühlung in die veränderten künstlerischen Vorstellungen einer jüngeren Generation gar nicht in Betracht zog. Auch ließ seine persönliche Autorität zu wünschen übrig. Er handhabte die ihm vom Konservatorium übertragene Lehrbefugnis mit einem merkwürdigen Gemisch von Strenge und Wohlwollen; die Schüler wußten nicht recht, ob sie vor ihm zittern oder ihn belächeln sollten; was zu fehlen schien, war die pädagogische Distanz. Man kann sich des Eindrucks nicht erwehren, daß er die Ohnmacht, die er im Verhältnis zu Welt und Umwelt bewies, in der Beziehung zu den Schülern kompensierte, sei es durch autoritäres Gebaren, sei es durch Vertraulichkeit. Felix Mottl[49], der später so berühmt gewordene Dirigent, wurde wegen einer in der Harmonielehre verbotenen Quintenparallele wie ein Klippschüler vor die Tür des Klassenzimmers geschickt; der verdutzte Hochschüler mußte sich darüber belehren lassen, solche komischen Zwischenfälle müßten nun einmal hingenommen werden. Organisten mußten fürchten, wegen eines falschen Tones in den Rücken geboxt zu werden, andere Schüler wurden ungefragt geduzt; Bruckner ließ an den Studierenden in etwa aus, was er selber hatte herunterschlucken müssen, sein pädagogisches Verhalten hatte positiv wie negativ infantile Züge, die aber manchmal vom ausbrechenden Genie überstrahlt wurden. Seine Schüler waren sich darin einig, daß ein solcher Augenblick der Erleuchtung für viele Stunden quälenden Lernens entschädigte. Sein pädagogisches Verhalten war überdies nicht frei von Vorurteilen; er bevorzugte, und er benachteiligte, wen er nicht mochte, Juden zum Beispiel. Sein harmloser Antisemitismus, der nicht mit dem völkischen Antisemitismus mancher seiner damaligen Anhänger verwechselt werden darf, entsprang ausschließlich naivchristlicher Überzeugung. Einen jüdischen Studierenden setzte er vor versammeltem Auditorium durch die Frage, ob er denn wirklich nicht an Christus als an den Erlöser glaube, in nicht geringe Verlegenheit. Schwerer betroffen von seinem Unmut waren emanzipierte Damen, wenn sie sich interessiert in seine Vorlesungen hineinzuschleichen versuchten; er ekelte sie wieder heraus, sein allmählich irreparabel gewordenes Verhältnis zur Frau erfuhr durch solche Ablehnung eine gewisse Genugtuung. Nur ihm, dem Schüchternen, dem erfolglosen Werber konnte es passieren, daß er mangelnder Sittlichkeit geziehen wurde. Im Herbst 1870 hatte er, um seine kargen Bezüge aufzubessern, an einer Lehrerinnenbildungsanstalt den Klavierunterricht als schlecht bezahlte Fron übernommen. Als er ein Jahr später hochgemut von seinen triumphal verlaufenen Orgelkonzerten in London zurückkehrte, mußte er zu seiner Bestürzung erfahren, daß sich über seinem Haupt ein Unwetter zusammengebraut hatte. Dem Schulrat war zu Ohren gekommen, daß Bruckner mit naiver Vertraulichkeit eine seiner Schülerinnen als «lieber Schatz»

Felix Mottl, 1897

angeredet hatte. Eine Untersuchung wegen Gefährdung der Anstaltsmoral wurde eingeleitet, Bruckner mußte sich verteidigen, es gab Eingaben und Entscheide, sogar die Presse nahm sich des Falles an, schließlich blieb alles beim alten. Kein anderer Komponist außer Bruckner hätte in einen derart lächerlichen Vorfall überhaupt verstrickt werden können. Man versuche, sich Brahms, Wagner oder Liszt in ähnlicher Situation vorzustellen. Die Instanz, die nun einmal verantwortlich ist für die Absurdität jenes moralischen Milicus, in dem ein solcher Vorwurf überhaupt ernst genommen werden konnte, die gleiche Instanz mußte sich nun vor ihren Schützling stellen. Der Klerus gab eine Ehrenerklärung ab, während Bruckner emsig um Zeugnisse bemüht war, die seine sittliche Integrität bescheinigten. Dem armen Komponisten wurde durch diesen grotesken Zwischenfall in den Augen der künstlerischen und intellektuellen Öffentlichkeit Wiens die Unmündigkeit geradezu bescheinigt. Er litt die Qualen der Wehrlosigkeit, und er fühlte sich in dem unklaren Gefühl, «Feinde» zu haben, fatalerweise bestätigt. Als im Jahre 1874 der Klavierunterricht an jener Anstalt ganz aufgegeben wurde, winkte Bruckner eine Entschädigung sondergleichen. In einem Gesuch an das Kultusministerium erneuerte er den schon früher von Linz aus gestellten und damals abgelehnten Antrag auf Einrichtung eines Lektorates für Musiktheorie an der Wiener Universität. Wieder beriet das Professorenkollegium, wieder hielt Hanslick das Referat, das konsequenterweise nur negativ ausfallen konnte. Bruckners Gesuch wurde abgelehnt. Man muß die Unbeirrbarkeit bewundern, mit der er nur ein Jahr später seinen Vorstoß wiederholte.

Bruckner an der Orgel. Scherenschnitt von Otto Böhler

Diesmal kam ihm der Vater seines späteren Biographen, der Reichsratsabgeordnete Göllerich, zu Hilfe. Solche Einflußnahme von höherer Ebene aus hatte Erfolg. Hanslick empfahl dem Professorenkollegium widerstrebend die Annahme des Gesuchs. Durch Dekret vom 18. November 1875 wurde Bruckner vorläufig unbesoldeter Lektor für Harmonielehre und Kontrapunkt an der Wiener Universität. Seine Antrittsvorlesung ist im Wortlaut erhalten.

Wer noch eine Erinnerung an das ganz alte akademische Milieu hat, der weiß, daß es an jeder Universität einen Dozenten gab, dessen Vorlesungen weniger des sachlichen Inhaltes als der originellen Persönlichkeit des Vortragenden halber besucht wurden. Diese Rolle übernahm Bruckner an der Wiener Universität. Zu Hilfe kam ihm der allgemeine Umstand, daß inmitten der wissenschaftlichen Fächer Musik selbst in ihrer theoretischen Form als anregend erlebt wird. Die für Originalität empfänglichen Studenten strömten Bruckner zu, in seinen Vorlesungen herrschte eine ganz unakademische Hochstimmung, in der sich das Gaudium, der Spaß an der Kauzigkeit des Vortragenden seltsam mischte mit dem ahnungsvollen Respekt vor dem Genie. Wie immer Bruckner die Reaktionen seines Auditoriums, in denen oft die Heiterkeit überwog, mißverstanden haben mag, er fühlte sich von Zustimmung getragen, er empfand wohltuend Sympathie und Kontakt. Und er war begreiflicherweise dankbar dafür, daß die Studenten Aufführungen seiner Werke geschlossen besuchten und für laute Ovationen sorgten, die allerdings wiederum die Kritiker ärgerten. Inwieweit er, von Ausnahmen abgesehen, das sachliche Interesse der Studenten an seinem Thema wirklich zu wekken verstand, sei dahingestellt. Ihm schwante dunkel, daß er seinen Erfolg nicht zuletzt der Volkstümlichkeit seines Vortrages verdankte, einem humorigen Element, das die Studenten erwarteten und beifällig anfachten. Ihm bangte, er könne den Unwillen Hanslicks erregen, der im gleichen Raum, nur zu anderen Zeiten, vor weniger Hörern humorlos, aber kunstwissenschaftlich seriös über Musikgeschichte und Musikästhetik dozierte. Naiv mahnte der ängstliche Bruckner seine Hörer, die Vorlesungen des Konkurrenten nicht zu vernachlässigen. Solches Gebaren in unmittelbarer Nachbarschaft mußte Hanslick rasend machen, er sah seine schlimmsten Befürchtungen bestätigt. Statt auch für sein Verhalten Verständnis zu zeigen, gab sich die pietätvolle Bruckner-Biographie die Blöße, ihres Meisters Antrittsvorlesung, deren Text sich immerhin durch Wärme und durch eine schlichte Würde auszeichnet, mit der berühmten Antrittsvorlesung von Schiller zu vergleichen. Immer mehr im Verlauf der Lebensbeschreibung drängt sich die Frage auf, wer eigentlich Bruckner mehr geschadet hat, seine Feinde oder seine Freunde. Die Frage wird zum beklemmenden Problem, wenn man sich mit dem Schicksal der Sinfonien zu befassen hat, mit Ausführung und Drucklegung, mit der komplexen Alternative «Bearbeitung oder Original».

Bevor das für Bruckner entscheidende Ereignis eintrat: die erste Konfrontation des Sinfonikers mit dem Wiener Musikleben, komplex vertreten durch Publikum und Presse, durch Veranstalter, Dirigenten und Orchester, konnte der Komponist noch zwei gutartige Ereignisse für sich buchen. Ein Jahr nach seinem Amtsantritt in Wien, am 29. September 1869, wurde die schon 1866 in Linz komponierte *e-moll-Messe* anläßlich der Einweihung einer Votivkapelle des neuen Linzer Domes zum erstenmal aufgeführt. Die Menge, die vor dem Domplatz zu dieser festlichen Freiluftveranstaltung zusammenströmte, repräsentierte nicht eigentlich ein musikalisches Publikum, aber vielleicht gerade deswegen wurde die Aufführung, die als Teil einer kirchlichen Feier sowohl der leisen Kritik wie dem lauten Beifall enthoben war, für den frommen Bruckner zu einer letzten schönen Erinnerung an die Geborgenheit, aus der er inzwischen herausgetreten war. Daß die Linzer Bürger, die sich früher über ihn mokiert hatten, in ihm nun den Wiener Professor verehrten, dürfte ihn erfreut haben, wie auch, daß sich viele Bauern eingefunden hat-

Dirigent Bruckner

ten, die nunmehr bereit waren, den ehedem gedemütigten Dorfschullehrer zu bewundern.

Bei der Uraufführung der *f-moll-Messe* hingegen, die ebenfalls noch in Linz komponiert worden war, bekam er bereits die Widerstände zu spüren, mit denen er im großstädtischen Musikleben Wiens fortan zu rechnen hatte. Johann Herbeck, sein Freund und Gönner, hatte die Messe sozusagen in Auftrag gegeben und die Uraufführung durch die Kaiserliche Hofkapelle, deren Dirigent er war und an der Bruckner als Organist wirkte, vorgesehen. Schon im Herbst 1868 begann er mit vorbereitenden Proben, weit bevor über einen Aufführungstermin gesprochen werden konnte. Nach einer zweiten Probe im Frühjahr 1869 machte er Einwände geltend, die zweifellos gut gemeint waren, die sich aber in der Zeit der vollen künstlerischen Emanzipation kein anderer Komponist von vergleichbarem Rang hätte gefallen lassen, weil sie in die schöpferische Zuständigkeit eingriffen und überdies mangelnde Überzeugtheit von dem Werk verrieten. Bruckner ließ gänzlich den Hochmut vermissen, der dem Könner zusteht. Statt den Dirigenten vor die Wahl zu stellen, das Werk entweder so aufzuführen, wie es ist, oder die Finger davon zu lassen, fand er sich unwillig, aber fügsam zu Änderungen bereit. Die Aufführung wurde vorerst verschoben, sie fand, obwohl Bruckner inzwischen durch internationale Erfolge als Orgelvirtuose an Prestige erheblich gewonnen hatte, nicht, was selbstverständlich gewesen wäre, unter verbesserten, sondern unter grausam verschlechterten Umständen am 19. Juni 1872 statt. Bruckner ließ das kleine Kapital an Macht, das er angespart hatte, gänzlich ungenutzt. Träger der Aufführung war nicht mehr, wie ursprünglich vorgesehen, die Hofkapelle mit ihrem alten Ruhm; Schauplatz der auf eigenes Risiko veranstalteten Aufführung, zu der Bruckner nunmehr 300 Gulden zuschießen mußte, war die Augustinerkirche, die weder als Konzertraum noch als Kirche echt musikalisches Interesse zu konzentrieren vermochte. Nach der dritten Probe trat Herbeck vorsorglich von der Leitung zurück, er überließ sie dem im Umgang mit einem Spitzenorchester ganz unerfahrenen Komponisten. Herbeck mußte wissen, daß er damit das Todesurteil über die Aufführung sprach, er mußte voraussehen, was sich dann abspielte. Die selbstbewußten Mitglieder der Wiener Philharmoniker, die, wie alle Orchestermusiker, nur auf die effektive Autorität oder auf den Zwang des Dompteurs zu reagieren gewohnt waren, konnten, soweit sie überhaupt zu Proben erschienen, der Versuchung nicht widerstehen, den hilflosen Bruckner seine Ohnmacht spüren zu lassen. Hier hatte er es nicht mit einem gegebenenfalls zu begeisternden Chor zu tun, vor ihm saßen zwar qualifizierte, aber andererseits abgebrühte Berufsmusiker, denen nur Macht und Können des überlegenen Dirigenten imponierte. Daß der ängstliche Herbeck, dem man als Kaiserlichem Hofkapellmeister zweifellos Respekt gezollt hätte, sich n a c h der Aufführung begeistert über das Werk äußerte, es sogar neben Beethovens «Missa solemnis» stellte, vernahm der gutmütige Bruckner voller Genugtuung. Auch die nun einmal im Feind-Freund-Denken befangene biographische Pietät registrierte seine nachträgliche Begeisterung arglos als einen gegen die nüchterne Tageskritik ins Feld zu führenden Pluspunkt, ohne die naheliegende Frage zu stellen, warum denn der erfahrene Hofkapellmeister, der solch hohen Wert ja schon vorher hätte erkennen müssen und wohl auch erkannte, sich nicht mit aller Kraft und aller Autorität selber für das Meisterwerk einsetzte. Selbst geringfügiges Versagen der Freundschaft wiegt nun einmal schwerer als geballter Haß des Gegners, nur das Vorurteil will das nicht wahrhaben. Merkwürdig im Rückblick erscheint auch die totale und verhängnisvoll wirkende Befangenheit im klassischen Maßstab. So wie Herbeck die *f-moll-Messe,* für Bruckner-Freunde empfehlend, für Bruckner-Gegner aufreizend, glaubte mit Beethovens Messe vergleichen zu müssen, so bedenkenlos im Hinblick auf die Folgen für den Komponisten plakatierte Wagner vor der Öffentlichkeit seinen Anhänger Bruckner als einzig bedeutenden Sinfoniker nach Beethoven und – mit hämischer Anspielung auf Brahms – als drittes B in der Fortsetzung Bach–Beethoven. Solche Vergleiche entfachten überflüssigerweise die Hitze der um Bruckner entstehenden Kontroverse, ohne zum Verständnis der Sache, um die es ging, auch nur das geringste beizutragen. So mischte sich das Verhängnis der Freundschaft in das Schicksal der Brucknerschen Musik ein; Freundschaft kann nun einmal nicht die eigene Macht ersetzen. In den Zeitungen übrigens, auch in Hanslicks «Neuer Freier Presse», erschienen lobende Rezensionen, die allerdings nicht ohne Grund empfahlen, es möge doch das Werk noch einmal in einer g u t e n Konzertaufführung einem breiteren Publikum vorgestellt werden. Aber Schwierigkeiten der geschilderten Art waren ein Kinderspiel gegen das, was Bruckner erwartete, als er den neutralen Raum der Kirche verließ und daran ging, seine Sinfonien in der Arena des großen öffentlichen Konzertes durchzusetzen. Er bekam es zu tun mit dem verführerischsten und zugleich gefährlichsten Milieu, das im Musikleben jener Zeit magnetisch zu Aufstieg oder Untergang verlockte. Auch Wagner wußte, was Wien wert war und was ihm Anhänger gerade dort bedeuten konnten. Sein Ringen um Wien bestimmte folgenschwer das Schicksal Bruckners. Die hypothetische Frage, ob und wie sich Bruckners Sinfonik durchgesetzt hätte, wäre sie fern aller Wagner-Hörigkeit und unbelastet von wohlmeinender Bevormundung geschickt lanciert worden, ist unbeantwortbar.

Vom Geld ist die Rede, von wem noch?

 Ja, das Gold ist nur Chimäre . . .

... heißt es in einem der Werke des Mannes, von dem hier die Rede sein wird. Ihm selbst freilich waren Geld und Reichtum eher Lockvögel. Er hat aus seiner Kunst stets Kapital geschlagen, wo immer dieses Kapital sich bot, und das hat man ihm in seiner Heimat arg verübelt.

Er wurde in Berlin geboren, als Sohn eines Bankiers, im Jahr, als Mozart starb. Mit sieben Jahren schon führte er Mozarts Klavierkonzert in d-Moll öffentlich auf, und der Neunjährige galt als der beste Pianist Berlins. Der 21jährige wurde Hofkomponist des Großherzogs von Hessen-Darmstadt und schrieb in den nächsten zwei Jahren zwei Opern: «Jephtas Gelübde» fiel in München durch, «Wirth und Gast» erlebte einen noch blamableren Verriß in Wien. Furchtbar enttäuscht verließ der junge Künstler seine Heimat. Geld hatte er genug; von einem Verwandten hatte er geerbt, mit der Auflage allerdings, seinen Namen zu ändern. Fortan setzte er also seinem Familiennamen den Namen des Verwandten voran. Er ging nach Italien und hier, als wollte er die Bande zur Heimat vollends brechen, änderte er auch noch seinen Vornamen. In Italien produzierte er in wenigen Jahren eine Reihe von Opern, die zwar heute unbekannt sind, damals aber rauschende Erfolge waren. Es gelang ihm scheinbar mühelos, seinen «deutschen» Stil zu vergessen und «italienisch» zu komponieren. Sein früherer Freund Carl Maria von Weber hielt das für Verrat an der deutschen Kunst, und das ging dem Auswanderer doch so nahe, daß er ein paar Jahre nichts mehr veröffentlichte. Dann aber vollbrachte er sein zweites Verwandlungswunder: Er komponierte in Paris eine Reihe französischer Opern, die weltberühmt wurden. Nun kehrte er nach Berlin zurück, wurde Generalmusikdirektor des preußischen Königs. Zusammen mit der berühmten Jenny Lind führte er die Berliner Oper von Erfolg zu Erfolg. Er starb im 72. Lebensjahr in Paris. Von wem war die Rede?

(Alphabetische Lösung: 13–5–25–5–18–2–5–5–18)

DIE MUSIKSTADT WIEN

Es wäre unmöglich, aus dem komplexen Phänomen Wien, dessen Beschreibung Bände füllt, die Faktoren herauszulösen, die speziell für Anton Bruckner wichtig waren. Wer sich mit Wien einläßt, der hat es mit ganz Wien zu tun, vor allem, wenn er dieser Stadt musikalisch kommt. Es gibt Großstädte, norddeutsche zum Beispiel, in denen ein durchaus respektables und kulturell verantwortliches Musikleben weit außerhalb der eigentlichen Interessensphäre des Gemeinwesens eine solide, fundierte, aber isolierte Existenz führt. Wien ist nicht in solchem Sinn eine Stadt mit zusätzlich hochstehendem Musikleben. Wien i s t eine Musikstadt, eine, in der sich Musiker wohl fühlen, weil musikalische Vorgänge in der ganzen Gesellschaft unterschiedslos als vorrangig reflektiert werden. Musik hat dort ein Echo; Mozart, so lautet die makabere Version, wäre lieber in Wien verhungert als Hofkapellmeister in Berlin geworden. Durch Wien wird die Theorie bestätigt, daß Musikalität nicht so sehr in Landschaften mit verhältnismäßiger Rassenreinheit, sondern in Brennpunkten der Rassenmischung gedeiht. Was aus Rassenmischung gespeist wird, zieht weiterhin Rassenmischung nach sich; das Spektrum des Wiener Musiklebens war und ist das differenzierteste auf dieser Welt. Wien war und ist die musikalischste aller Städte, seine Bewohner haben das Talent, und sie wissen es. Im Gegensatz zur Einspurigkeit der bewußten Kulturpflege in untalentierten Regionen erweist sich das Talent als ambivalent. Es begünstigt ebenso die fahrlässig anspruchslose Gemütlichkeit wie andererseits den ganz hohen Anspruch, wie er nur in großen und seltenen Augenblicken und nur in einer solchen Musikstadt durchgesetzt werden kann, wenn auch gegen die Bremskraft der Gemütlichkeit. In Wien liegt ein Risiko, denn diese Stadt hat feminine Züge, sie läuft niemandem musikalisch nach, sie will erobert sein. Starke Naturen imponieren der Wiener Musikalität; Beethoven, Wagner und Brahms, weder Wiener noch etwa wienerisch, waren Beispiele dafür. Weiche Naturen, selbst wenn sie Wiener oder wenigstens Österreicher sind, haben es schwerer. Schubert als großer, klassischer Meister wurde vom Wiener Musikleben mit grotesker Verspätung entdeckt, die lokale Erinnerung an die volkstümlich biedermeierische Figur zögerte die Anerkennung des Genies hinaus. Bruckner mußte es schon allein von daher schwer haben, er verlockte allzusehr, ihn als musikalisches Original, als liebenswürdigen Kauz einzustufen, den man mit offenen Armen aufgenommen hätte, wäre er nur das und nichts anderes gewesen. Bruckner hat in Wien das Anspruchsvolle mit untauglichen Mitteln versucht.

Die Musikalität ist nicht der einzige Fundus, in dessen Besitz die Wiener sich überlegen fühlen. Schließlich ist Wien eine alte Stadt mit einer großen historischen, politischen und kulturellen Vergangenheit, deren Bewohner, auch wenn sie an dieser Vergangenheit genaugenommen weniger bewußt teilnehmen als interessierte Zugereiste, dennoch davon überzeugt sind, daß, an ihrer Stadt selbst in Zeiten von Armut und Verwahrlosung gemessen, andere Großstädte, sie seien reich, modern und auch musikalisch hervorragend organisiert, im Grunde Provinz sind. Die Wiener Klassik hinterließ im Musikleben der Donaustadt ein ungeheuer starkes Gefühl von Genugtuung und Überlegenheit, zugleich aber ein fast gespenstisches Vakuum des Schöpferischen. Mit Beethovens und Schuberts Tod war es vorbei. Mendelssohn, Chopin [50], Schumann, Liszt und Wagner, die führenden Komponisten der nachklassischen Jahrzehnte, kosteten gern von den Reizen Wiens, aber sie lebten und wirkten nicht dort. Die Frage warum, wäre eine Untersuchung wert. Bis Wagner um Wien rang, Brahms aus Hamburg kam, bis Bruckner aus Linz eintraf, vergingen gut drei Jahrzehnte, während derer das Wiener Musikleben von der klassischen Reminiszenz und vom Import lebte, ein Zwischenzustand, der aber die Überlegenheit des Wiener Musiklebens nicht in Frage stellte, weil Wien nunmehr als musikreproduzierende Großstadt die Führung an sich riß. Die Hofoper zog magnetisch die besten Stimmen aus aller Welt an sich, an den Pulten der 1842 konstituierten Wiener Philharmoniker saßen nicht nur gute Orchestermusiker, sondern viele überragende Persönlichkeiten, die später als Dirigenten, Solisten oder Komponisten selber Musikgeschichte machten. Durch die Generationenfolge Johann Joseph Fux, Johann Georg Albrechtsberger [51], Simon Sechter war Wien zur Hauptstadt der Musiktheorie, durch sein Konservatorium zur zentralen Ausbildungsstätte für Musiker geworden. Wiens Musikkritik, die seriöseste jener Zeit, jedenfalls die begabteste, hatte ihren Rückhalt an den frühen akademischen Disziplinen von Musikgeschichte und Musikästhetik. Musikverlage und unternehmerische Konzertagenturen, die wie in keiner anderen Stadt mit dem riesigen Reservoir eines neugierig interessierten, begeisterungsfähigen, jedenfalls unermüdlich zu Zuspruch oder Widerspruch bereiten Publikums rechnen konnten, ergänzten das glänzende Spektrum. Durch diese Fähigkeit zur Polarisierung eines zwischen Volkssängertum und Hofoper homogen durchwachsenen und durchbluteten Musiklebens hatte Wien einen gewaltigen Vorsprung zum Beispiel vor Leipzig, einer Musikstadt von unbezweifelbarem Rang, die zwar im föderalistisch parzellierten Deutschen Reich neben vielen anderen guten Musikstädten als führend anerkannt, jedoch spannungsarm auf die eindimensional klassizistische Haltung vereidigt war. Leipzig war nicht die Bühne für den großen Auftritt, der seit der Spaltung der Musik in eine klassizistisch-romantische und eine neudeutsch-progressive Richtung unausbleiblich geworden war. Paris war Mittelpunkt der Welt, gewiß, aber es war eine Musikstadt nur insoweit, als es eine Weltstadt war. Nur Wien bot sich an als Schauplatz der großen Auseinandersetzung, nur Wien verfügte, vom öffentlichen Interesse ganz zu schweigen, über das reproduktive Potential, das eine solche Auseinandersetzung hätte realisieren können. In Wien war das Musikleben nicht rechtschaffen sortiert in befehlen-

Der Schottenring in Wien. Zeichnung von A. Kronstein

de und gehorchende, in produzierende und konsumierende Teilnehmer, in Wien wollte und konnte jeder mitreden, auch der ärmste Galeriebesucher in Oper und Konzert, auch die Hornisten und Kontrabassisten des Orchesters. In Wien war die Zuständigkeit nicht reserviert, sie war großzügig verteilt. Dieses Musikleben wartete nach Jahrzehnten der Gemütlichkeit förmlich auf das große Ereignis, die Arena war gefüllt, Musiker und Musikfreunde fieberten danach, endlich Partei nehmen zu dürfen in einem Zweikampf, gegen den die vormärzliche Weber [52]–Rossini [53]-Rivalität ein Kinderspiel war. Die immer wieder bestätigte Freude der Wiener an der «Hetz», einem dem Fremden kaum ganz verständlich zu machenden Phänomen, das weder ganz bösartig noch ganz gutartig zu sein scheint, tat ein übriges.

Wie einem imaginären Startsignal des Schicksals gehorchend, betraten Brahms und Wagner unerachtet des zwischen ihnen bestehenden Altersunterschiedes die Bühne fast gleichzeitig. Im Oktober 1861 war Wagner nach Wien gekommen, um dort, noch förmlich trunken von einer Aufführung des «Lohengrin», wie er sie in solcher Qualität noch nie zu hören bekommen hatte, wegen einer Einstudierung des «Tristan» zu verhandeln. Man muß sich vergegenwärtigen, daß es den in bedrohlichster finanzieller Situation befindlichen Wagner ruhelos umhertrieb, daß König Ludwig II. noch nicht helfend in sein Leben eingegriffen hatte und daß er, lange bevor von Bayreuth die Rede war, in der Wiener Hofoper mit Recht die einzige Bühne sah, die sein zentrales Meisterwerk überhaupt hätte angemessen aufführen können. Auch stellten sich, wie immer bei Wagner, taktische Erwägungen der Macht ein. Er wußte: wer Wien besitzt, der kann das Musikleben weit und breit beherrschen, was in Wien Erfolg hat, kann von keiner anderen Bühne abgelehnt werden. Ein zweiter Aufenthalt brachte die Bestätigung des Fehlschlages; der «Tristan» wurde nach sich quälend hinzerrenden Verhandlungen und Proben abgelehnt. Als Wagner 1875 wieder nach Wien kam, konnte er als Triumphator die Bedingungen diktieren. Er hatte nicht gesäumt, seine Wiener Anhänger zu mobilisieren und propagandistisch auszurüsten; in Form eines Wagner-Vereins schuf er sich eine Wiener Hausmacht.

Die Motive, die Brahms 1862 nach Wien führten, waren, verglichen mit Wagners Zielstrebigkeit, wesentlich unverfänglicher. Nachdem Hamburg die immer noch gehegte Hoffnung enttäuscht hatte, er könne in seiner Vaterstadt eine seinem Können angemessene Position als Dirigent erlangen, richtete er sich in Wien auf Dauer ein. Er fühlte sich dort wohl, ihn umgab eine musische Atmosphäre, und er fand rasch freundlichen Kontakt mit dem gebildeten und musikverständigen Bürgertum. Auch boten sich ihm solide Stellungen an, die er jedoch selber zugunsten der freien Tätigkeit eines Komponisten und Klavierspielers wieder aufgab. Kurze Zeit leitete er die Wiener Singakademie, drei Jahre lang war er künstlerischer Leiter der Gesellschaft der Musikfreunde. Was ging ihn, den Klassik-orientierten Instrumentalisten und Liedschöpfer, der Opernkomponist Wagner überhaupt an – so und umgekehrt könnte man fragen und weiterhin argumentieren, daß sich dank der geradezu idealen Aufgabenteilung zwischen den beiden Genies die Möglichkeit einer reibungslosen, einer denkbar friedlichen Marktregelung anbot. Wirklich, was hatten sie miteinander zu tun, was hätten sie von einander zu befürchten gehabt und was schließlich ging das eigentlich Anton Bruckner an, der bescheiden in Linz als Organist wirkte, als sich die Wege von Wagner und Brahms im musikalischen Brennpunkt Wien kreuzten? Wer so hypothetisch fragt, der verkennt, daß es sich bei den heraufziehenden Kämpfen nicht um den Austrag einer jener Künstlerrivalitäten handelte, wie sie Wien schon des öfteren wollüstig interessiert mitangesehen hatte, sondern um den Ausbruch von Divergenzen grundsätzlicher Art, die reif waren, sich am geeigneten Ort in zwei geeigneten Persönlichkeiten zu symbolisieren.

Die in jüngster Zeit wieder sehr laut gewordene Frage, wie es weitergehen solle, hatte die Musik schon immer beschäftigt und beunruhigt, seitdem sie sich von der ausschließlichen Bindung an die Kirche gelöst und als Kunst unter Künsten emanzipiert hatte. Seit gut einem halben Jahrtausend vor der kritischen Zeit, mit der wir uns zu beschäftigen haben, war die Frage nach dem Fortgang der Musik zum immer wieder leidenschaftlich diskutierten Problem geworden. Daß Musik fortschreiten, daß sie sich ändern müsse, daran zweifelte im Grunde niemand; beharrende Tendenzen bestätigten den vorwärts strebenden Grundcharakter der abendländischen Musik ebenso wie progressive. Die Frage, wie soll es weitergehen, steigerte sich zur schwerwiegenden Entscheidung, nachdem die Musik in den Meisterwerken der Wiener Klassik einen absoluten Höhepunkt erreicht und überschritten zu haben schien. Der von niemandem in Frage gestellte Denkzwang, daß die Musik weitergehen müsse, wurde drükkend problematisiert durch den verpflichtenden Ewigkeitswert, den man der Klassik zugestand. Anders als alle frühere Musik, auch ranggleiche, trat die Klassik nach dem Tod ihrer großen Meister nicht in den Hintergrund der Historie, sie blieb lebendig. Jede neue Musik nach der Klassik mußte vor dieser bestehen, sich vor ihr verantworten.

Auch wer nicht speziell mit Musik befaßt ist, wer sich ganz allgemein Gedanken über die Entwicklung der abendländischen Kultur macht, dem muß einleuchten, daß in der nach-klassischen Situation der Musik eine Spaltung in sich grundsätzlich verneinende Richtungen unausweichlich geworden war. Besonders drängend, nachdem die schöne Täuschung der frühen Romantik verwelkt und an die Stelle des künstlerischen Wunderglaubens das harte Bewußtsein von unausweichlichen Entscheidungen getreten war. Es ging ja nicht um die übliche Auseinandersetzung zwischen beharrenden und fortschrittlichen Tendenzen, die Alternative lautete: evolutionäre oder revolutionäre Weiterentwicklung. Beide Strömungen kämpften unter Berufung auf die gleiche klassische Autorität um die Priorität des Fortschrittes, den Brahms ebenso für sich in Anspruch nahm wie Wagner. Daß ihm, Brahms, eine weder als klassizistisch noch gar als epigonal abzuwertende, eine authentische Fortentwicklung klassischer Lösungen im Aufgabenbereich der Instrumentalmusik gelang, ist immer noch der intellektuellen Untersuchung wert; Arnold Schönberg hat diese große Leistung nachdrücklich anerkannt. Daß diese Leistung damals im Lärm der Auseinandersetzung von Anhängern mißverstanden und von Gegnern einfach übersehen wurde, scheint begreiflich. Wagner hätte sie sehen können, er scheint sie sogar bemerkt zu haben, aber er hütete sich, sie allzu deutlich anzuerkennen. Denn auch er bezog sich auf Beethoven, wenngleich demagogisch, auf seine Art. In die «Neunte» interpretierte er kurzerhand eine Absage an die Möglichkeit der Instrumentalmusik schlechthin hinein (und erledigte damit auch die Brahmssche Musik wie im Handstreich), wie vor allem einen Hinweis auf das eigene Werk. Die Bewunderung für die künstlerische Leistung Wagners erlaubt es, diese taktlose Beethoven-Manipulation als taktisches Manöver auf sich beruhen zu lassen.

Wien, das muß immer wieder betont werden, war prädestiniert zum Schauplatz der Auseinandersetzung. Die unmittelbare Erinnerung an die Klassik hatte dort die Herausbildung und Anerkennung einer evolutionären Fortschrittsästhetik begünstigt, wie sie so fundamentiert, so formuliert in keiner anderen Musikstadt gepflegt wurde. Eduard Hanslick, ein großer Kenner und Verehrer der Klassik, jedoch kein Reaktionär, wurde zum unbestrittenen Wortführer einer

Bruckner. Zeichnung von R. Loer

Erwartung, die sich in Brahms ideal bestätigt fand. Für große Teile des gebildeten Wiener Musiklebens schien ein wichtiges Problem der Musik – die Frage nämlich, wie es weitergehen soll – mit dem Erscheinen von Brahms gelöst. Aber in dieser so vielschichtigen und so «begabten» Musikstadt Wien hatte sich nach einer langen Phase der Schläfrigkeit nicht weniger selbstsicher die Erwartung des radikal Neuen potenziert und formiert; sie sah sich in Wagner bestätigt. Beide Parteien hatten ihre Anhänger, beide Parteien waren durch glänzende Persönlichkeiten repräsentiert, wie sie in solcher Fülle und Differenziertheit nur das künstlerische Wien hätte aufbieten können. Man ist versucht, an den Aufmarsch historischer Entscheidungsschlachten zu denken, und nur rückblickend ist es leicht, sich einzugestehen, daß auch in der harmlosen Sphäre Musik Entscheidungen nie so ausfallen, wie sie gedacht werden.

ZWISCHEN DEN FRONTEN

Wenn, Simplifikationen zugegeben, die Fronten etwa so verliefen und die Rollen etwa so verteilt waren, dann bedarf es nur einer kurzen Erwägung, um sich erschreckt vorzustellen, wie Bruckner, nachdem er sich in Wien niedergelassen hatte, bar jeder Lebensklugheit, mit keinerlei Macht ausgerüstet und im Stich gelassen von jedem taktischen Instinkt, wie ein ahnungsloses Kind in die Schußlinie zwischen den Fronten hineintaumelte. Der Wehrlose, von Gegnern mißhandelt, von vermeintlichen Freunden mißbraucht, wurde blessiert. Daß er aus seiner bedingungslosen Wagner-Verehrung keinen Hehl machte, das war es nicht. Die Annahme, Brahms oder Hanslick hätten ihm, dem man ohnehin mildernde Umstände zubilligte, die Parteinahme für Wagner übelgenommen, ist allzu naiv, sie entstammt der Schreckenskammer einer Bruckner-Pietät, die die Primitivreaktionen von Anhängern unbesehen den führenden Persönlichkeiten anlastet. Verhängnisvoll für den armen Bruckner war, daß sein kompositorisches Konzept nicht in das Konzept der großen Auseinandersetzung paßte, daß er von Feind und Freund mißverstanden werden mußte. (Vom Mißverständnis der Freundschaft wird bei der Werkbetrachtung und bei der Erörterung des Problems «Original oder Bearbeitung» noch die Rede sein.) Aber wie mußten ihn die Verfechter einer evolutionären Entwicklung, Brahms und Hanslick an der Spitze, von ihrem Standpunkt aus sehen? Kurz gesagt: Bruckner war für sie ein begabter, aber insofern verführter Komponist, als er, so erschien es ihnen, wagnersche Substanz in das maßlos aufgeblähte Gehäuse der klassischen Sinfonie hineinschmuggelte und die klare Luft des klassischen Formdenkens durch ein Gemisch von Weihrauch und Tristanschwüle vergiftete. Wagner war ein Gegner, ein Feind, man wußte, woran man war, Bruckner, der heimlich um eine ganz neue Lösung der Aufgabe einer sinfonischen Sonatenform rang, war hingegen ein Ärgernis. Brahms, so darf man vermuten, empfand ihn nicht als Gegner, sondern – viel schlimmer – als eine Katastrophe der nach-klassischen Musik. Bruckners eigene Katastrophe begann, als er den Versuch machte, sich in Wien als Sinfoniker Gehör zu verschaffen.

Die *Erste Sinfonie*, noch in Linz komponiert und auch dort aufgeführt, lag in der Schublade. Merkwürdig ist, wie der Komponist schwankte zwischen der Genugtuung, die ihm die verfehlte Aufführung bereitet hatte, und dem Zweifel an dem Werk. Viel später, als er schon mit der «Neunten» beschäftigt war, überarbeitete er die «Erste» noch einmal. Aber da hatte er ja in den Jahren 1871 und 1872 die *Zweite Sinfonie* geschrieben, die überhaupt noch nicht erklungen war. Bruckner ging den normalen Weg, er bot die Sinfonie den Wiener Philharmonikern an und erhoffte sich von dem Resultat einer Novitätenprobe, die im Herbst 1872 stattfand, die Aufnahme des Stückes in das Programm eines regulären Abonnementskonzertes. Diese Hoffnung erfüllte sich nicht, die Philharmoniker begründeten ihre Ablehnung mit technischen Schwierigkeiten, sie wollten den Komponisten nicht fühlen lassen, daß sie mit dieser Sinfonie nichts anzufangen wußten und daß sie sich von einer Aufführung keinen Erfolg versprachen. Wäre die Komposition wenigstens modern gewesen ... sie war auf unvorhergesehene Weise anders. Es erhoben sich unter den Musikern auch gewichtige Stimmen, die für eine Aufführung plädierten, aber die unentschlossene Haltung des Dirigenten Otto Dessoff [54] gab den Ausschlag. Statt schlau auf die günstige Gelegenheit hinzuarbeiten, bestand Bruckner auch diesmal wieder darauf, das Konzert, zu dem erhebliche Zuschüsse aufgebracht werden mußten, selber zu veranstalten, die Sinfonie selber zu dirigieren. Die biographischen Informationen über diese erste Uraufführung einer Brucknerschen Sinfonie in Wien am 26. Oktober 1873 lassen im Einklang mit Bruckners eigener Erinnerung aus späterer Zeit auf einen so eindeutigen Publikumserfolg und auf eine derartige Begeisterung der Musiker schließen, daß man sich etwas verwirrt fragt, wo denn die gehässige Verschwörung der Gegner blieb, von der doch permanent die Rede ist. Ludwig Speidel [55], ein führender Kritiker, schrieb im «Fremdenblatt» enthusiastisch, Eduard Hanslick differenzierte genau zwischen der Skepsis gegenüber der Form des Werkes und der rückhaltlosen Anerkennung der einzelnen Schönheiten, er konnte über die Grenzen seiner präzise definierten Vorstellung von «Form» in der Musik nicht hinaus. Der Beethoven-Spezialist Theodor Helm [56] glaubte, in dem Werk musikalische Wagner-Hörigkeit zu entdecken. Von dem Rienzi-Mordent einer einzigen Melodie abgesehen, sucht man kopfschüttelnd in der Partitur nach Wagner-Assoziationen. Man findet keine. Diese Rezension beweist erschreckend, wie völlig vom Vorurteil vergiftet damals selbst das Urteil eines Fachmannes war, dem immerhin ein Standardwerk über die Streichquartette Beethovens zu danken war, dem man Verantwortungsgefühl nicht absprechen konnte. Das Vorurteil ließ ihn Phantome sehen. Wie erst mußte es Bruckner ergehen, als er durch seine nächste Sinfonie diese Vorurteile förmlich herausforderte, bestätigte und potenzierte.

Mit den ersten Entwürfen für eine dritte *Sinfonie in d-moll* hatte er unmittelbar nach Beendigung der «Zweiten» (möglicherweise schon vorher) begonnen. Obwohl der Erfolg der *c-moll-Sinfonie* nicht zur Folge hatte, daß sich nun andere Dirigenten für eine weitere Aufführung interessierten, fühlte sich Bruckner in der Zuversicht, mit der er an dem neuen Werk arbeitete, bestätigt und beschwingt. Sicher ist, daß er an die Komposition dieser Sinfonie mit dem festen Entschluß ging, sie als erstes seiner Werke dem Urteil Wagners zu

Bruckner und Richard Wagner in Bayreuth. Scherenschnitt von Otto Böhler

unterwerfen und ihm die Widmung vorzuschlagen. Wörtliche Zitate aus dem «Tristan» und dem «Ring», die wie Devotionalien in die Partitur eingeflochten wurden, beweisen diese Absicht. Das Werk wurde von ihm selbst *Wagnersinfonie* genannt, der Wortlaut der Widmung entsprach der bedingungslosen Verehrung, die Bruckner dem Bayreuther Meister entgegenbrachte. Die anekdotischen Details, die über Bruckners Reise nach Bayreuth, über den Empfang bei Wagner und über dessen wohlwollendes Verhalten Auskunft geben, wurden von der biographischen Pietät beifällig ausgebreitet, und es kann kein Zweifel darüber stehen, daß die Annahme der Widmung durch Wagner, dem die motivischen Zitate insgeheim peinlich gewesen sein mögen, für Bruckner zu den schönsten Augenblicken seines Le-

Hans Richter

bens gehörte, auch wenn man feststellen muß, daß die durch Werk und Widmung unmißverständlich erhärtete Bindung an Wagner dem Komponisten und seiner Sinfonie die größten Schwierigkeiten bereitete. Er mußte dafür einstehen, niemand konnte ihm das ersparen; der Hinweis auf die von jeder kunstpolitischen Aggressivität siriusweit entfernte Naivität seines Wesens und Verhaltens konnte nicht verhindern, daß man in seiner «Dritten», als sie die Arena des Konzertlebens betrat, eine Herausforderung im Sinn der Wagnerschen Machtpolitik sah.

Das Geplänkel um eine offizielle Aufführung durch die Philharmoniker wiederholte sich. Wieder reichte Bruckner die Partitur ein, wieder wurde ein Probespiel angesetzt, bei dem es Zustimmung wie Ablehnung gab. Wieder erhielt Bruckner einen negativen Bescheid, obwohl inzwischen der strikte Wagner-Anhänger Hans Richter [57] Dirigent der Philharmoniker geworden war. Daß er, vorgeblich von dem Werk überzeugt, dennoch nicht die Zivilcourage besaß, es «gegen den Strom» aufzuführen, obwohl es inzwischen gekürzt und überarbeitet worden war, wurde von der Bruckner-Literatur ebenso verharmlost und beschönigt wie das negative Verhalten echter Gegner charakterlich diffamiert. Die Vorurteile prallten aufeinander; Bruckner bekam die verhärtete Situation zu spüren, als er im Jahre 1877, einem Unglücksjahr, die unverhoffte Gelegenheit bekam, seine «Dritte» selber aufzuführen. Sein Freund und Förderer Johann Herbeck war am 28. Oktober gestorben, ohne daß er seine Absicht, die «Dritte» aufzuführen, wahrmachen konnte. Das Werk blieb auf dem Programm, aber die Musiker, die es am liebsten abgesetzt hätten, ließen den Komponisten, der nunmehr das Dirigentenpult betrat, ohne über die Macht der Orchesterdressur zu verfügen, ihre Unlust hart spüren. Wie eiskalter Wind wehte es ihm während Probe und Aufführung entgegen, die Aufsässigkeit der Musiker verbreitete sich unter den Zuhörern wie ein Bazillus. Zischen und Beifall kämpften miteinander; schließlich ergriff das Publikum unter dem Gelächter der Musiker die Flucht. Die Uraufführung der *Wagnersinfonie* kam einer öffentlichen Hinrichtung gleich, die diesmal auch von der Presse unangenehm kommentiert wurde. Aber wie es selten eine Katastrophe ganz ohne Lichtblick gibt, trat nach der Aufführung der Wiener Verleger Theodor Rättig zu dem weinenden Bruckner hin, der von einem Häuflein getreuer Anhänger getröstet wurde, und bot ihm den Druck der Sinfonie an. Das war am 16. Dezember 1877; die «Vierte» und die «Fünfte» waren längst beendet und warteten ebenfalls auf eine Aufführung.

An diesem Punkt der Lebenserzählung angelangt, wird man sich der beängstigenden Situation bewußt, in die Bruckners Entwicklung geraten war. Von Hunger, Armut oder Verwahrlosung war nicht die Rede, nicht von persönlichen Konflikten oder von schöpferischen Krisen. Die Inspiration floß dem schon alternden Komponisten zu, er arbeitete stetig mit beharrlichem Fleiß. Dennoch drohte ihm ein Engpaß. Von den drei Messen oder gar von Nebenwerken abgesehen hatte er, dem aufgetragen war, neun Sinfonien zu schreiben, fünf solcher Meisterwerke der musikalischen Weltliteratur bereits vollendet, ohne daß sich für diese ungeheuerliche und keineswegs nachlassende Produktivität die Möglichkeit einer annähernd gemäßen Realisierung im Musikleben eröffnet hätte, von einer angemessenen Nutzung ganz zu schweigen. Bruckner entging fast gänzlich, was von Komponisten wie Brahms, Wagner oder Liszt als selbstverständlich gefordert wurde: der Ertrag vom Werk, ein trauriger Umstand, der aber nicht zur Verklärung von Bruckners Erscheinung mißbraucht werden sollte. Das Komponieren brachte ihm nichts ein, im Gegenteil, er mußte für Aufführungsmaterial und für Aufführungskosten erhebliche Summen beisteuern.

Die drei ersten Sinfonien waren aufgeführt worden, ohne daß von den Aufführungen eine weiterwirkende Ausstrahlung ausgegangen, eine öffentliche Resonanz ausgelöst worden wäre, außer einer negativen. Die Aufführung der «Vierten» stand noch bevor, sie sollte ihm ein wenig Glück bringen, die «Fünfte» hingegen wurde erst an seinem Lebensende uraufgeführt, als er dem Ereignis nicht mehr beiwohnen konnte. Bruckner hat sie nie gehört. Die Biographie bestätigt, daß er ein ganz langsamer, ein zäher Arbeiter war, der sich die Zeit für das Komponieren neben dem finanziell unerläßlichen Unterrichtspensum am Konservatorium, neben dem Universitätslektorat, den Privatstunden, dem Orgeldienst und schließlich neben den streng innegehaltenen Pflichten des geistlichen Tageslaufs mühsam erkämpfen mußte. Mehr und mehr geriet er mit seiner schöpferischen Ar-

Brahms auf dem Weg zum «Roten Igel»

beit, in die sich zunehmend Überarbeitungen von früher entstandenen Kompositionen drängten, in Verzug. So blieb denn die «Neunte» Fragment, ihr Schlußsatz unvollendet. Auch diese Tatsache kann man romantisch, religiös oder wie immer verklären, aber wer die unvollendete Niederschrift des Finales kennt, die weit gediehen ist und aus der zumindest die grandiose Intention klar ersichtlich ist, wer gar dabei war, als das Fragment einmal öffentlich aufgeführt wurde, dem bleibt nichts übrig als zu beklagen, daß Bruckner durch die Zwänge seines Lebens an der geplanten Vollendung gehindert wurde. Niederdrückend ist die leider nicht abzuweisende Vorstellung, daß Bruckner den Abschluß seines letzten und bedeutendsten Werkes versäumte, weil er sich auf Anraten wohlmeinender Berater mit der mühseligen und zeitraubenden Überarbeitung früherer Sinfonien abgab, mit nachträglichen Veränderungen also, mit problematischen «Verbesserungen», die von der Nachwelt dann zugunsten der früheren Fassungen wieder abgelehnt wurden. Das konnte nur einem Menschen passieren, der zur Unmündigkeit förmlich erzogen worden war, zur Unfähigkeit, sein Leben, seine Anlagen und seine Kräfte vernünftig zu organisieren. Noch einmal: wer sich so wenig selber helfen kann, dem gerät auch die fremde Hilfe, sie sei gut gemeint, zum Unheil. Kein anderer Komponist war der Gefährdung durch Feindschaft und Freundschaft so preisgegeben wie Bruckner. Er empfand diesen Engpaß bitter, er sah klar, was ihm bei aller Anspruchslosigkeit des Lebens fehlte: die Zeit. *Eine Sinfonie, meine ich, hätte ich in der Zeit schreiben können, die ich ganz unnützer Weise hier zu solchen Zwecken verlaufen habe.*[58] Er unternahm illusorische Versuche, sich aus den Klammern zu befreien, er beantragte eine Staatsrente, die ihm die Möglichkeit zur schöpferischen Arbeit gewährleisten sollte. Weder gab es diese Staatsrente offiziell noch wiederholte sich das Wagnersche Wunder; kein königlicher Mäzen kam ihm, der nie einen Heller verschwendet, der keine Schulden gemacht hatte, zu Hilfe. Wer das große Spiel wagt, dem wird geholfen, nicht dem Bescheidenen.

Der arme Bruckner wurde zunehmend zerrieben zwischen dem Zwang zu verdienen, dem Drang zu komponieren, zwischen steter Hoffnung auf Erfolg und permanenter Enttäuschung. Schon allein diese Kompression hätte die bescheidensten Ansätze eines Privatlebens zunichte gemacht; wie gut, daß Bruckner keinen Anspruch darauf erhob, möchte man resignierend feststellen. Er arbeitete bis spät in die Nacht, am frühen Morgen ging er zur ersten Messe. Eine von Bildung und Kunstverständnis getragene Geselligkeit wie die, in der sich Brahms wohl fühlen durfte, hätte sich Bruckner nicht eröffnet, in den gesellschaftlichen Zirkeln der Wagnerianer spielte er die Rolle eines Kuriosums. Es wird erzählt, daß er in der Faschingszeit leidenschaftlich die Bälle besuchte, ohne daß klar wird, was er dort außer einer gewissen Gaudi suchte. Fest steht, daß der gelegentliche Besuch von Wirtschaften, in denen es ein gutes Bier und ein gutes Essen gab, zu seinen bescheidenen Freuden zählte. Wie auch, daß er seine oft widerstrebenden Schüler nötigte, ihm dort Gesellschaft zu leisten. Im «Roten Igel» seien sich Brahms und Bruckner zufällig begegnet, wortkarg saßen sie sich am gleichen Tisch gegenüber. So jedenfalls berichtet es die anekdotische Chronik, ohne davon Notiz zu nehmen, daß die beiden Komponisten einander im damaligen Wien kaum hätten aus dem Wege gehen können. Eine andere, besser bezeugte Begegnung stand unter einem unglücklichen Stern. Am 10. November 1872 dirigierte Johannes Brahms als neu ernannter Leiter der «Gesellschaft der Musikfreunde» im Musikvereinssaal ein Konzert, bei dem auch Anton Bruckner mitwirkte; in Händels [59] «Te Deum» spielte er den Orgel-Continuo. Einige Tage später fand die offizielle Einweihung der neu erbauten Orgel des Saales statt. Ansprachen wurden gehalten, Brahms steuerte mit seinem Chor Motetten alter Meister bei, Bruckner hingegen war aufgetragen, die verschiedenen Register der Orgel improvisierend vorzuführen. Hier ging es nicht um die strenge Kunst der Stegreiffuge, die auch Brahms zu würdigen bereit gewesen wäre, hier handelte es sich darum, die schil-

Hessgasse 7: im vierten Stock wohnte Bruckner von 1877 bis 1895

lernden Farben des modernen Instrumentes zur Geltung zu bringen, und Bruckner pflegte bei solchen Gelegenheiten in ausschweifenden Harmonien über Wagnersche Themen frei zu fantasieren, sofern er nicht, was noch bedenklicher war, bekannte Vaterlandslieder variierte. Dem geschmacklich peniblen Brahms waren derlei Zauberkünste mißliebig, besonders in der Nachbarschaft altmeisterlicher Polyphonie. Den empfindlichen Bruckner, der mißtrauisch Benachteiligung argwöhnte, mag es geärgert haben, daß er unter Brahms' Stabführung eine bescheidene Rolle spielen mußte. Wirklich, die beiden Komponisten taten gut daran, einander zu meiden. Abschätzige Äußerungen, das sinfonische Werk betreffend, beruhten auf Gegenseitigkeit. Auch Eduard Hanslick begegnete Bruckner natürlich des öfteren. Bei der Generalprobe des Streichquintetts, zu der Gäste und die Musikkritik geladen waren, eilte er dem vermeintlichen Verfolger beflissen entgegen, half ihm aus dem Pelz, ließ während des Spiels kein Auge von dem Gefürchteten und versuchte beim Abschied, ihm die Hand zu küssen, ein Gebaren, das Abwehrgefühle des Peinlichen bestärken mußte.

Das Jahr 1877 brachte für Bruckner eine Verbesserung seines Alltags. Dr. Oelzelt, ein wohlhabender und hochgebildeter Wiener Bürger, stellte dem Komponisten, dessen Werke er verehrte, eine Wohnung zur Verfügung, die in dem ihm gehörenden Haus Hessgasse 7 lag. Bruckner wohnte nun komfortabler und zugleich billiger, er fühlte sich dort wohl. Die erste bedeutende Komposition, die er in der neuen Wohnung begann, war das *Streichquintett in F-Dur*. Er schrieb es auf Anregung des hochangesehenen Geigers Joseph Hellmesber-

Partitur des Streichquintetts in F-Dur. Beginn des 1. Satzes

Das Hellmesbergersche Streichquartett. Von links nach rechts: C. Heißler (Bratsche), N. Durch (2. Violine), Joseph Hellmesberger (1. Violine), C. Schlesinger (Cello)

ger [60], der zu Bruckners Wiener Zeit Direktor des Konservatoriums war und als Primarius eines berühmten Streichquartetts der Kammermusik im öffentlichen Musikleben der Reichshauptstadt zu neuer Blüte verhalf. Er war sozusagen unbestrittener «Präsident» der Wiener Musikerschaft und als Mittelpunktsfigur von hoher Prominenz bemüht, sich nicht in den musikalischen Parteienstreit hineinzerren zu lassen. Als Konservatoriumsdirektor war er ohnehin zur Neutralität verpflichtet, und er verkehrte freundschaftlich mit allem, was Rang und Namen hatte. Der erstklassige Geiger und Kammermusiker schätzte Brahms und dessen Kompositionen; dem schrulligen Bruckner gegenüber bewies er ein vorsichtiges Wohlwollen. So wie Bruckner unverbindliche Äußerungen vermeintlicher Gegner oder Anhänger stets übertrieben deutete, so machte er aus Hellmesbergers Anregung, er möge doch auch einmal ein Kammermusikwerk schreiben, das dringliche Verlangen eines Verehrers. Immerhin verdanken wir diesem Mißverständnis die Komposition des *Streichquintetts*, eines Werkes von hohem Rang, dessen Schicksal symptomatisch insofern war, als Hellmesberger eine Aufführung so lange als möglich herauszögerte und überdies so hartnäckig an dem Scherzo herummäkelte, daß der beflissene Bruckner zum Austausch das *Intermezzo* hinzukomponierte, das dann wieder durch das ursprüngliche Scherzo ersetzt wurde. In diesem Fall erwies sich die musikalische Unterwürfigkeit als fruchtbar, sie erbrachte der Musik keinen Verlust, sondern den Zuwachs eines anmutigen Stückes.

NIEDERLAGE, ERFOLG UND TOD

Nach der Niederlage, die Bruckner mit der Aufführung seiner *Dritten Sinfonie* erlitten hatte, dauerte es fast vier Jahre, bis er mit der nächsten Sinfonie, der «Vierten», zu Worte kam. Das war am 29. Februar 1881. In der Zwischenzeit hatte er die Partitur noch einmal gründlich überarbeitet, das Scherzo gegen ein neues ausgetauscht und das Finale so verändert, daß man fast von einer Neukomposition hätte sprechen können. Auch hatte er die *Zweite Sinfonie* noch einmal revidiert; er war nun in den Prozeß hineingeraten, den man auf die Formel bringen möchte: Bruckner arbeitete zu allen Zeiten an allen seinen Sinfonien. Das *Streichquintett* war beendet und die *Sechste Sinfonie* bereits begonnen, die Aufführungen hinkten dem Schaffensprozeß weit hinterher. Wenn auch die Fassung, in der die «Vierte» uraufgeführt wurde, in bezug auf Proportionen und Instrumentation nicht der heute als selbstverständlich praktizierten «Originalfassung» entsprach, so war es doch die Form, in der das Werk berühmt und zu einem Erfolgsstück der Brucknerschen Sinfonik wurde. Diesmal waren die Umstände günstiger.

Zwar war es kein offizielles Abonnementskonzert der Wiener Philharmoniker, in dem das Meisterwerk uraufgeführt wurde, es war ein Privatkonzert, in dessen Programm sich die «Vierte» mit einer Ouvertüre und dem G-Dur-Klavierkonzert von Beethoven wie auch mit der Uraufführung einer sinfonischen Dichtung aus der Feder Hans von Bülows teilen mußte. Aber die Wiener Philharmoniker spielten unter ihrem Dirigenten Hans Richter, die Wiedergabe scheint gut gewesen zu sein, jedenfalls heftete sich mit dieser Uraufführung der verläßliche Erfolg an die Spur der «Vierten». Das Publikum war begeistert, Bruckner mußte sich nach jedem Satz dem Beifall stellen. Auch die Presse sparte nicht mit Anerkennung, wenn man von der Rezension des designierten Brahms-Biographen Max Kalbeck[61] absieht. Eduard Hanslick schrieb: «Den ungewöhnlichen Erfolg einer neuen Sinfonie von Anton Bruckner haben diese Blätter bereits gemeldet. Wir können heute nur beifügen, daß dieser Erfolg eines uns nicht ganz verständlichen Werkes uns um der achtenswertesten und sympathischsten Persönlichkeit des Komponisten willen aufrichtig erfreut hat.» Man muß schon den Kritiker Hanslick total verteufeln, will man den Willen zur Fairness in diesen Sätzen ignorieren. Kurz nach der Uraufführung der «Vierten» begann Bruckner mit der Komposition des *Te Deum*, das war, während er noch an der «Sechsten» arbeitete, deren Partitur Anfang September 1881 in St. Florian abgeschlossen wurde. Daß diese Sinfonie, die erst ganz spät in ihrer Bedeutung und Vollkommenheit erkannt wurde, zu Bruckners Lebzeiten und noch weit nach seinem Tode von den Dirigenten für Aufführungen nicht in Betracht gezogen wurde, hatte sein Gutes. Man hielt eine Bearbeitung nicht für lohnend, die «Sechste» ist in der originalen Fassung fast unverändert überliefert worden. Im November des gleichen Jahres wurden die ersten drei Sätze des *Streichquintetts* in einem Konzert des «Akademischen Wagner-Vereins», dessen treues Mitglied Bruckner war, durch fünf nicht prominente, jedoch be-

Hans Richter dirigiert, Bruckner applaudiert. Scherenschnitt von Otto Böhler

Eduard Hanslick

mühte Musiker aufgeführt. Die offizielle Erstaufführung des ganzen Werkes durch das repräsentative Hellmesberger-Quartett fand erst im Januar 1883 statt; so lange zögerte der Primarius und Konservatoriumsdirektor, sein Prestige zu riskieren. Die gleiche Vorsicht bestimmte auch das Schicksal der «Sechsten», die ebenfalls im Frühjahr 1883 von Wilhelm Jahn, dem damaligen Dirigenten der Wiener Philharmoniker, zur Aufführung angenommen worden war. In einer ersten Probe konnte Bruckner alle vier Sätze hören, dann hielt es der Dirigent für ratsam, nur die beiden Mittelsätze auf das Programm zu setzen. Als isolierte Tonstücke wurden Adagio und Scherzo teils begeistert, teils befremdet aufgenommen. Brahms klatschte ausnahmsweise, Hanslick schrieb äußerst distanziert. Die vollständige Sinfonie wurde, wenn auch ziemlich zusammengestrichen, erst im Februar 1899 von Gustav Mahler aufgeführt.

Die Zeit zwischen den Aufführungen der «Vierten» und des Quintetts schloß das ganze Jahr 1882 ein, sie verlief, wenn man von einer Reprise der *f-moll-Messe* in der Hofkapelle absehen will, ohne jedes Ereignis, das den Wienern hätte anzeigen können, daß unter ihnen ein Genie der Musik lebte. Es tat sich nichts, würde man heute sagen; von einer über Österreich hinauswirkenden Resonanz war überhaupt nicht die Rede. Eine Aufführung der «Vierten» unter Felix Mottl in Karlsruhe wurde ein Mißerfolg, der allerdings den späteren Siegeszug dieser Sinfonie nicht aufhalten konnte. Nur: für Bruckner bedeutete ein Mißerfolg gerade in dieser Zeit eine bedrükkende Bestätigung der Erfolglosigkeit, wenn auch keineswegs eine

Hemmung der schöpferischen Tätigkeit. Der Abstand zwischen dem Fortschrittspunkt einer Produktivität, die bereits mit der *Siebenten Sinfonie* befaßt war, und der negativen Aufführungsbilanz im Wiener Konzertleben war immer größer geworden. Man darf es bewundern und man muß es als ein Rätsel bestaunen, daß diese deprimierenden Verhältnisse in der Realität die Tiefenschicht überhaupt nicht zu berühren schienen, aus der heraus die Inspiration dem Komponisten zuströmte. Kein seelisch-nervlicher Druck hätte den Anruf des Geistigen ersticken können. Daß der Mensch Bruckner für die Qualen des Verkanntseins ein Ventil suchte, muß man verstehen, auch wenn er, wie stets in seinem Verhältnis zur Realität, seltsame Wege ging. Daß Brahms, dem er sich ebenbürtig fühlte, von den Universitäten Cambridge und Breslau der Ehrendoktor verliehen worden war, ärgerte Bruckner. Er gab sich die Blöße und leitete selber Schritte ein, um zum gleichen Ziel zu kommen. Die philosophische Fakultät der Wiener Universität ging nobel auf den ungewöhnlichen Wunsch ein und stellte ihm ein zu diesem Behuf ausgestelltes Zeugnis zur

Partitur der Sechsten Sinfonie. Schluß des 1. Satzes

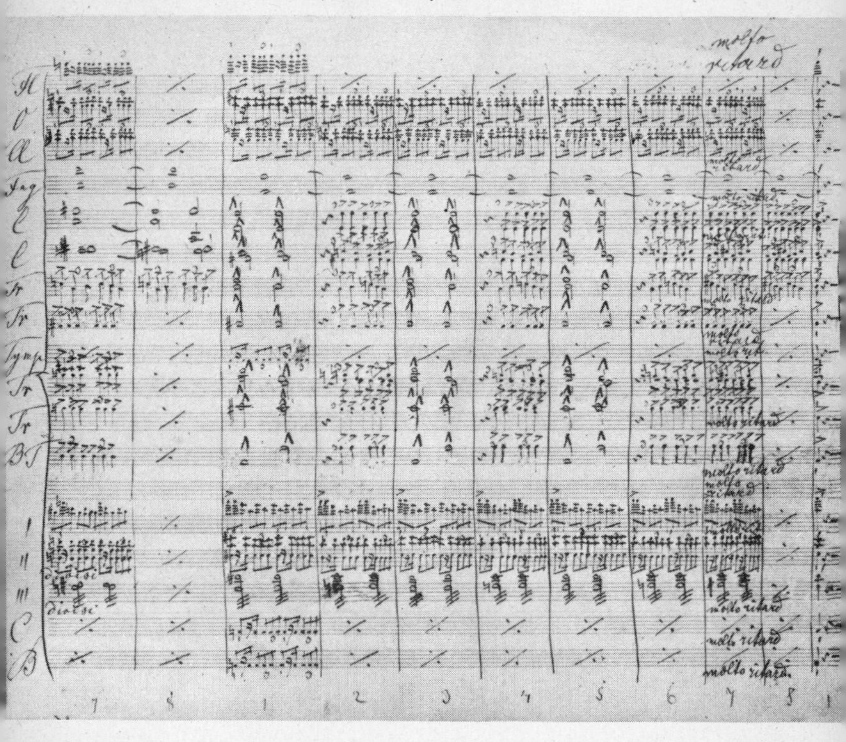

Bruckner. Gemälde von Ferry Beraton

Verfügung. Der Vorgang versickerte begreiflicherweise. Bruckners Leben verlief dennoch nicht arm an Ehrungen und Auszeichnungen, die Liste begann bescheiden mit Ehrenmitgliedschaften in Gesangvereinen, sie wurde am 7. November 1891 großartig abgeschlossen durch die feierliche Promotion zum Ehrendoktor der Wiener Universität.

Im Juli 1882 hatte Bruckner in Bayreuth bei der ersten Aufführung des «Parsifal» tiefe Eindrücke empfangen, die im letzten Abschnitt des Finales seiner *Achten Sinfonie* nachwirken sollten. Er ahnte nicht, daß das Zusammentreffen mit Wagner, der ihm wieder einmal Aufführungen seiner Sinfonien versprach, ein Abschied war.

Als er Anfang 1883 in Wien mit der Arbeit an dem Adagio der «Siebenten» fast bis zum Abschluß gekommen war, erfuhr er, daß Wagner am 13. Februar in Venedig gestorben war. Für die musikalische Welt war es eine Trauernachricht, für Bruckner eine entsetzliche Katastrophe, die ihn vernichtet hätte, wäre ihm nicht der Prozeß der künstlerischen Sublimierung zu Hilfe gekommen. So wie Mozart in sein gerade vollendetes g-moll-Streichquintett der Legende zufolge einen überleitenden Trauersatz einfügte, als er die Nachricht vom Tode seines Vaters erhielt, gestaltete Bruckner die Coda des Adagios seiner «Siebenten» zu einem Requiem für Wagner. Ein unmerklicher innerer Bruch an dieser Stelle (da, wo die Coda beginnt) wird von allen sensiblen Dirigenten durch eine unauffällig vollzogene Modifikation des Tempos bestätigt, die Trauermusik hat einen anderen Puls als der vorangehende Satz. Die Partitur der «Siebenten» wurde im Herbst des gleichen Jahres wiederum in St. Florian abgeschlossen, wohin sich Bruckner zurückzog, um ganz konzentriert arbeiten

Brief Bruckners an den Hamburger Musikkritiker Wilhelm Zinne

Arthur Nikisch

zu können. Wie die «Sechste» ist auch die *E-Dur-Sinfonie,* wenn man von den unerheblichen Auseinandersetzungen wegen des berühmten Beckenschlages im Adagio absieht, einigermaßen «original» überliefert worden, diesmal aber nicht als Folge mangelnden, sondern als Folge eines plötzlich eingetretenen Interesses. Die sich unerwartet rasch ergebende Möglichkeit einer Uraufführung hätte länger dauernde Überarbeitungen gar nicht mehr zugelassen.

Der große Glücksfall war eingetreten, ein Hauptwerk Bruckners wurde aus dem für den Komponisten vergifteten Milieu des Wiener Musiklebens herausgehoben und in einer bedeutenden Musikstadt von einem bedeutenden Dirigenten uraufgeführt. Arthur Nikisch [62] hatte bei der Uraufführung von Bruckners «Zweiter» im Herbst 1873 als Geiger in den Reihen der Wiener Philharmoniker mitgespielt. In dem darauf folgenden Jahrzehnt hatte er kein weiteres Werk Bruckners kennengelernt; allenfalls waren Gerüchte von dessen Schaffen bis zu ihm gedrungen, aber ihm war damals eine Ahnung von Bruckners Genialität aufgegangen, und als Praktiker vom musikantischen Typus, als ein Mensch, dem dogmatische Auseinandersetzungen und ästhetische Vorurteile fern lagen, hatte er der rührenden und zugleich imponierenden Person Bruckners eine liebevolle Anhänglichkeit bewahrt. Nachdem ihm Joseph Schalk [63], ein Schüler Bruckners, gelegentlich einer Reise nach Leipzig, wo Nikisch als Dirigent wirkte, die Partitur der «Siebenten» gebracht und er sie studiert hatte, entschloß er sich spontan, das Werk aus der Taufe zu heben. Endlich, zum erstenmal, setzte sich ein Dirigent von Bedeutung ohne zu zögern für Bruckner vorbehaltlos ein; mit einemmal

Konzert im Neuen Gewandhaus zu Leipzig. Zeichnung von E. Limmer

ergab sich eine völlig neue Situation. Als Bruckner der Uraufführung am 30. Dezember 1884 im Leipziger Stadttheater beiwohnte, atmete er auf, fühlte er sich erlöst vom Druck der Komplexe. Hier trat er mit seinem Werk vor ein verständiges, normales und unparteiisches Publikum, dem zwar modernistische Neigungen fern lagen, das aber gerade wegen seiner Bach-Tradition dem Seriösen der Brucknerschen Handschrift, dem Tiefgang seiner Musik mehr Verständnis entgegenbrachte als das in Kämpfen korrumpierte Publikum Wiens. Im Saal saßen diesmal Rezensenten, deren Stellungnahme nicht vom Vorurteil präjudiziert war, sie berichteten kritisch, aber unbefangen. Das Orchester, seinem Dirigenten als einem grandiosen Könner total ergeben, ging leidenschaftlich mit. Endlich waren die Umstände günstig, endlich gingen die Informationen über Ereignis und Erfolg in die richtigen Kanäle. Die Dirigenten in den Großstädten horchten auf, sogar die Verleger begannen, wenn auch zögernd, den Erfolg zu wittern. Zum erstenmal entwickelte sich für Bruckners Musik Prestige und Macht, einer Aktie vergleichbar, die an der Börse neu eingeführt wird und deren Kurs sogleich zu klettern beginnt. Das Musikleben des späten 19. Jahrhunderts hatte nun einmal Börsencharakter angenommen, niemand hätte das ändern können, am wenigsten der ohnmächtige Bruckner, dessen Musik, wie aus weiter

Ferne kommend, wie nicht dazu gehörend, in diese Epoche verschlagen worden war. Keine Publikumserwartung kam ihr entgegen, sie mußte von Pionieren durchgesetzt werden. War sie einmal durchgesetzt, dann trug sie ihre Lebenskraft und ihre geistige Macht weiter. Arthur Nikisch war einer der Pioniere, er krönte seinen Einsatz im Winter 1919 durch die überhaupt erste zyklische Wiedergabe aller neun Sinfonien Bruckners im Leipziger Gewandhaus. Davon hätte im Jahre 1884 niemand zu träumen gewagt, Nikisch war damals ja auch noch nicht der weltberühmte Gewandhaus-Dirigent, dennoch begann sich die *E-Dur-Sinfonie* nach ihrer Uraufführung mit der Progression des Erfolges in allen Musikländern durchzusetzen, ihr Erfolg ebnete auch den früheren Sinfonien, die bis dahin vernachlässigt wurden, den Weg; plötzlich interessierten sich die maßgebenden Dirigenten auch für sie. Die «Siebente» wurde 1885 in München durch den berühmten Wagner-Dirigenten Hermann Levi zum zweitenmal aufgeführt, es folgten Köln, Hamburg und Graz, ein Jahr später wurde Bruckner eine Genugtuung sondergleichen zuteil: Hans Richter führte die «Siebente» in einem regulären Konzert der Wiener Philharmoniker auf, noch im gleichen Jahr erklang sie in New York, Chicago, Boston und Amsterdam. Bruckners Musik war nun so weit durchgesetzt, daß gelegentliche Mißerfolge ihre Einordnung in das reguläre Repertoire der großen Sinfoniekonzerte gar nicht mehr hätten verhindern können; sie hatte es geschafft.

Die naheliegende Folgerung, es hätte sich daraus für Bruckner ein Umschwung oder wenigstens eine merkliche Verbesserung seiner Lebensumstände ergeben, erweist sich als grausame Täuschung. So wie der Insasse eines Altersheims nach kurzem Ausflug in die schöne Welt draußen wieder gehorsam in das karge und gedrückte Milieu seiner Unterkunft zurückkehrt, in die er nun einmal eingekauft ist, so fand sich Bruckner nach dem Leipziger Erfolg, der später durch die Aufführung des *Te Deum* in Berlin an Ausstrahlung fast noch übertroffen wurde, frohgemut, aber in unverändert demütiger, gelegentlich aufsässiger, jedoch insgesamt unterlegener Haltung wieder in Wien ein. Als wäre draußen nichts geschehen, nahm er seine gedrückte Lage als etwas Unabänderliches hin, er kam seinen zeitraubenden und schlecht besoldeten Diensten getreulich nach und rang sich mit ungeheurer Anstrengung die Kraft für die Arbeit an seinen letzten großen Werken ab. Diese schöpferische Arbeit wurde immer wieder über lange Intervalle hinweg unterbrochen durch die mühselige Umarbeitung früherer Partituren. Merkwürdig ist, daß nicht einmal der Erfolg, den die «Siebente» in ihrer originalen Fassung errungen hatte, ihn von der Zwangsvorstellung befreien konnte, er müsse seine Kompositionen permanent verbessern. Eigene Unsicherheit des vordergründigen Bewußtseins, potenziert durch schmähliche Kritik und fatalen Ratschlag der Freunde, setzte die Untrüglichkeit des in der Tiefenschicht wirkenden schöpferischen Bewußtseins außer Kraft. Diese Untrüglichkeit nachträglich zu rehabilitieren, ihrem Willen nachzuspüren, ist eine unerläßliche, wenn auch oft unerfüllbar erscheinende Aufgabe der Bruckner-Forschung. Es gibt nun einmal irreparable Schäden. Als er mit schon nachlassenden physischen Kräften an der «Neunten» arbeitete und es ihm langsam fraglich erscheinen mußte, ob er das Werk überhaupt noch werde beenden können, schaltete er lange Pausen ein, während derer er an den Sinfonien III und VIII herumfeilte und, schrecklicher Gedanke, die schon 1867 entstandene *Erste Sinfonie* in eine ganz neue Fassung brachte, die dem Werk bei einer Aufführung nicht nur keinen nennenswerten Erfolg eintrug, die sogar von der heutigen Praxis zugunsten der «Linzer» Fassung als der besseren einhellig abgelehnt wird. Die Arbeit, die ihn die Vollendung seines letzten Werkes kostetete, war umsonst gewesen.

Nicht besser, schlechter sogar ging es ihm, seitdem sich die durch die Distanz noch verklärten Meldungen über erfolgreiche Aufführungen seiner Sinfonien in anderen Städten und Ländern häuften. Sie bewiesen, was anderwärts möglich war. Die Diskrepanz zwischen dem, was normalerweise hätte sein können und der ganz anomalen Lage, in die er samt seinem Werk in Wien hineinmanövriert worden war, wurde immer quälender. Bruckner machte keinen Versuch, sie zu beheben, wenn man von bescheidenen Petitionen absieht, die in begrenztem Umfang Erfolg hatten. Zwei Umstände bedingten die Unabänderlichkeit seiner Lage: die bösartig gewordene Konfliktsituation des Wiener Musiklebens, die eine normale und unbefangene Wertung seines Werkes, wie sie sich in anderen Städten als selbstverständlich ergab, unmöglich machte, und seine eigene Ungeschicklichkeit, die ihm, Wiener Gemütlichkeit hin oder her, gerade in dieser Konfliktsituation zum Verhängnis wurde. Kein anderer Komponist erwies sich als derart außerstande, ein ihm zustehendes Recht wahrzunehmen: den Anspruch, sein künstlerisches Prestige umzuwerten in eine Macht, die sich nicht den Bedingungen preisgibt, die ihre Bedingungen stellt.

Während die Aufführungen außerhalb Wiens bewiesen, daß jenseits von Brahms und Wagner in Bruckners Musik eine neue und ganz eigenartige geistige Macht sichtbar geworden war, sah sich ihr Schöpfer in Wien tiefer und tiefer verstrickt in eine gespenstische Situation. Die Brahms–Wagner-Front war zu einem Geschwür geworden, das erst nach dem Tod der Hauptakteure abheilen konnte. Noch trumpfte die Wagner-Partei auf, noch verhärteten die Brahms-Anhänger ihren Widerstand. Die Tonart wurde sehr unfreundlich, und die auswärtigen Erfolge Bruckners gaben seinen Gegnern die Handhabe, die vordem einem vermeintlich Hilflosen gegenüber geübte Schonung nunmehr außer acht zu lassen. Brahms empfand die Aufnahme Brucknerscher Sinfonien in Kölner und Hamburger Konzertprogramme als persönlich kränkend, als einen Versuch, in seinem Revier zu wildern. Die von der Bruckner-Pietät unmißverständlich formulierte Unterstellung, aus Brahms habe der Haß des Unterlegenen gesprochen, kann man als grotesk auf sich beruhen lassen. Befremdlich bleibt dennoch, bis zu welchem Spannungsgrad die künst-

A. Bruckner

Oben:
Ferdinand Löwe (links)
Franz Schalk (rechts)

Unten:
Joseph Schalk

lerische Eifersucht wegen des klassischen Erbes führen konnte. Hätte es sich um das Musikdrama gehandelt, dann wäre alles ganz einfach gewesen. Brahms sah sich die «Meistersinger» mit Genuß an, beim Anhören Brucknerscher Sinfonik versteinte er. Bei Bruckners Gegnern verhärtete sich in Wien ein partieller Widerstand, den der unerfahrene Komponist, unterstützt von Schülern und Freunden, mit primitiven Mitteln zu brechen suchte, deren sich ein Anfänger bedient, der sein Werk erst einmal bekannt machen muß, aber nicht ein Meister, dessen Musik draußen in der Welt bereits ihren Weg macht. Ferdinand Löwe[64], die Brüder Joseph und Franz Schalk[65], Schüler von Bruckner, von denen im Zusammenhang mit den «Originalfassungen» noch die Rede sein wird, gaben Einführungsabende und Privatkonzerte, bei denen sie Brucknersche Sinfonien erläuterten und behelfsmäßig auf zwei Klavieren vorführten. So spielten später die Bruckner-Freunde seine Werke vierhändig daheim im Haus. Als Bruckner sein *Te Deum* vollendet hatte, wartete er nicht die Gelegenheit zu einer angemessen repräsentativen Aufführung ab, sondern er begnügte sich in Ermangelung eines Orchesters mit einer

Neunte Symphonie: Beginn des Adagios

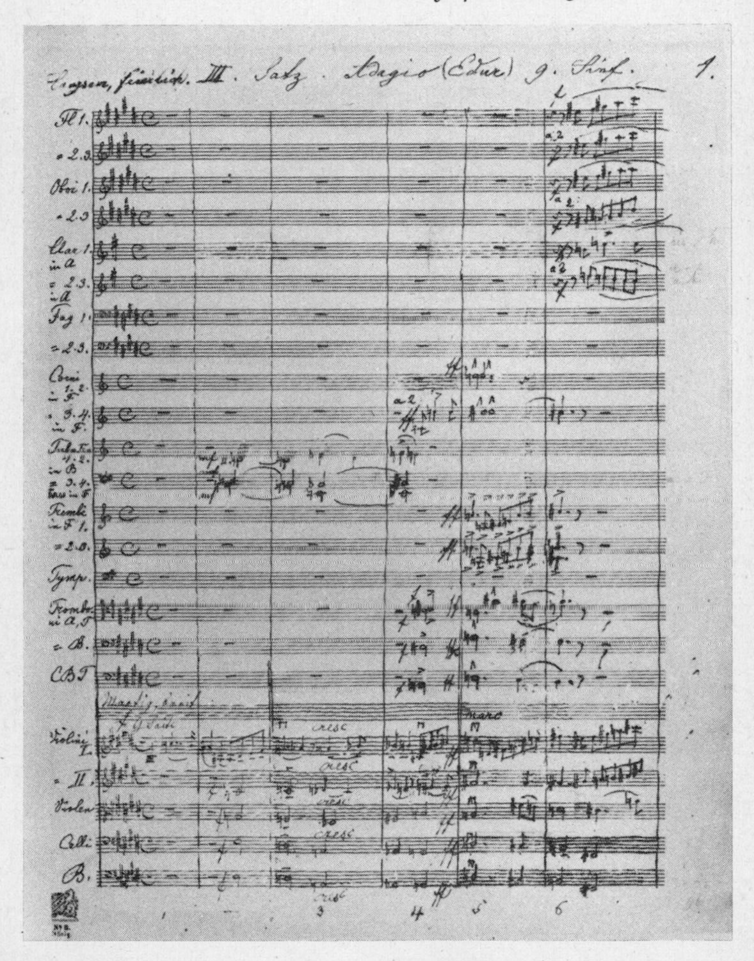

Begleitung des großen Chorwerkes durch zwei Klaviere. Das erinnert daran, wie er sich in der Stadt seines Wirkens, in der Musikstadt Wien, die sich die Uraufführung der «Fünften» hatte entgehen lassen, mit fragmentarischen Erstaufführungen seines Streichquintetts und seiner «Sechsten» glaubte begnügen zu müssen. In anderen Städten hätte man derartiges gar nicht in Betracht gezogen. Manchmal waren die ihm zuteil werdenden Hilfestellungen geradezu tödlich. Joseph Schalk hatte für die Wiener Aufführung der «Siebenten» eine programmatische Inhaltsangabe des Werkes verfaßt, die einer «Sinfonischen Dichtung» Liszts zur Ehre gereicht hätte, die aber den armen Bruckner, der sich leider selber manchmal in programmatischen Deutungen eigener Werke versuchte, bei Feind und Freund kompromittierte. Besonders betroffen von solch naiver «Inhaltsangabe» aus eigener Vorstellung war die achte *Sinfonie in c-moll*, die es nach der ausstrahlenden «Siebenten» ohnehin schwer hatte, sich durchzusetzen. Der Erfolg eines Werkes bewirkt nun einmal beim Publikum eine bestimmte Erwartung, die enttäuscht wird, wenn das nächste Werk ganz anders ausfällt; auch Brahms bekam diese Mißlichkeit zu spüren. In der «Achten», besonders ausgeprägt in dem beklemmend fahlen ersten Satz, wurden seismographisch Katastrophen in der Tiefenschicht registriert, die in die opulente Stimmung des bereits von dem jungen Richard Strauss [66] mitbestimmten Musiklebens nach 1890 einfach nicht hineinpaßten. Seit 1884 hatte Bruckner schwer um die Gestalt dieses Riesenwerkes gerungen und das ihm schonend beigebrachte Eingeständnis Hermann Levis, er könne gerade für diese Komposition kein Verständnis aufbringen und sich zu einer Aufführung nicht entschließen, traf ihn schwer. Er hatte dem von ihm verehrten Dirigenten die Partitur der 1887 beendeten Erstfassung eilig übersandt und sich, ohne ein Urteil abzuwarten, bereits an die Überarbeitung gemacht. Aus der Taufe gehoben wurde das Werk erst am 18. Dezember 1892 in Wien unter Hans Richter. Verzögerung und Umarbeitung hatten sich gelohnt, die Uraufführung wurde, wie Hugo Wolf in seiner Rezension schrieb, zu «einem Ereignis, wie es in den Annalen Wiens einzig dasteht». Diesmal mußte sich die Sinfonie mit keiner anderen Komposition in das Programm teilen, die Philharmoniker hatten das Werk in sechs Proben glänzend einstudiert. Zwar war Kaiser Franz Joseph I. [67], der die Widmung der Sinfonie durch Bruckner kurz vor ihrer Uraufführung in einer Audienz wohlwollend angenommen hatte, nicht selber gekommen, aber er ließ sich durch hohe Persönlichkeiten des Hofes vertreten, das Konzert wurde auch gesellschaftlich zum Ereignis. Der Publikumserfolg war ungeheuer, Brahms saß unbewegt in der Direktionsloge, Hanslick verließ den Saal unter Mißfallensbezeigungen des Publikums vorzeitig, der Anblick des mit drei riesigen Lorbeerkränzen umhängten Komponisten blieb ihm erspart. Seine negative Kritik, bedingt durch die Verhärtung diskutabler Stellungnahme in permanenter und bösartiger Auseinandersetzung, durch totale Blockierung möglichen Verständnisses

Kaiser Franz Joseph I.

mithin, und überflüssigerweise provoziert durch die peinliche Inhaltsangabe im Programmheft, durch eine Auslassung, die ihm recht zu geben schien, dieser kritische Verriß war noch nicht geschrieben; Bruckner durfte sich an diesem Abend auf dem Schlachtfeld des Wiener Musiklebens endlich als Sieger fühlen. Trotzdem mußte man ihn mit sanfter Gewalt zurückhalten, als er auf nächtlicher Straße vor dem Konzertgebäude beflissen zu einer Droschke eilte, um vor seinen Feinden Brahms und Hanslick devot die Tür aufzureißen und sie hineinzukomplimentieren.

Zur Zeit dieses letzten Uraufführungserfolges, des letzten, den er miterlebte, war Bruckner schon ein gebrechlicher alter Mann, in dessen verwitternden Zügen die Symptome der Vergreisung überstrahlt wurden durch eine Spiritualität, die von dem Verfall der Persönlichkeit nicht berührt wurde. Die Schichten lösten sich voneinander. Als Ärzte und Umwelt bereits Anzeichen von Desorientierung vermerkten und Ausfallserscheinungen nicht mehr zu verkennen waren, arbeitete er noch mit intaktem musikalischem Bewußtsein am Finale seiner «Neunten». Schon im Herbst 1887, unmittelbar nach Beendigung der Erstfassung seiner «Achten», hatte der unermüdliche Komponist mit den Skizzen zu seiner letzten Sinfonie begonnen. Sieben Jahre später, nach unendlich langsamem Schaffensprozeß, schloß er im Herbst 1894 mit dem Adagio sein überliefertes Werk ab. Vorher hatte er außer geistlichen Vokalwerken, die in Abständen immer wieder aus gegebenem Anlaß entstanden, den reich instrumentierten *150. Psalm* und das dem Wiener Männergesangverein gewidmete Chorwerk *Helgoland* geschaffen. Er hatte sein

Pensum erfüllt. So wie der Kampfeslärm des Wiener Musiklebens weniger und weniger zu dem alten Mann hindrang, so machte man ihm auch sein materielles Leben nunmehr etwas leichter. Im Sommer 1890 hatte er sich wegen zunehmender Anfälligkeit vom Konservatoriumsdienst beurlauben lassen; die Bildung eines «Oberösterreichischen Consortiums», das ihm aus Stiftungen eine Altersrente gewährte, erlaubte Anfang des nächsten Jahres die endgültige Pensionierung, der Landtag bewilligte eine Zusatzrente. Das Organistenamt in der Hofkapelle übte Bruckner bis zum Herbst 1892 aus, die letzte Vorlesung an der Universität hielt er am 12. November 1894, kurz nach seinem 70. Geburtstag.

Im Sommer 1895 übersiedelte Bruckner in eine zum kaiserlichen Hof gehörende Wohnung im Belvedere, einem Gebäude, das am Rand des Schloßparks liegt. Er brauchte keine Miete zu bezahlen, er war Gast seines Kaisers. In dieser Wohnung starb er am 11. Oktober 1896. Wie der Bischof Rudigier es ihm versprochen hatte, wie er es in seinem Testament ausdrücklich noch einmal selber bestimmte, wurde sein Leichnam balsamiert und nach einer Trauerfeier in der Karlskirche, an der die gesamte musikalische Welt Wiens teilnahm, nach St. Florian übergeführt und unter der Orgel der Stiftskirche in einem freistehenden Sarg beigesetzt.

Ich wünsche, daß meine irdischen Überreste in einem Metallsarge beigesetzt werden, welcher in der Gruft unter der Kirche des regulierten lateranischen Chorherrenstiftes St. Florian und zwar unter der großen Orgel frei hingestellt werden soll, ohne versenkt zu werden, und habe hierzu die Zustimmung schon bei Lebzeiten seitens des hochwürdigen Herren Prälaten genannten Stiftes eingeholt. Mein Leichnam ist daher zu injicieren, zu welchem Liebesdienste Herr Professor Paltauf sich bereit erklärt hat, und ist alles ordnungsmäßig zu veranlassen (Leiche 1. Klasse), damit die Überführung und Beisetzung in der von mir bestimmten Ruhestätte in St. Florian in Ob. Österreich bewirkt werden könne.

DIE VEGETATIVE EINHEIT DER BRUCKNERSCHEN SINFONIK

Daß Bruckners Sinfonik in höherem Maß als das sinfonische Gesamtwerk anderer Komponisten einheitliche Züge aufweist, ist oft negativ bezeugt worden. «Bruckners neun Sinfonien gleichen sich wie ein Ei dem anderen», «Bruckner war ein begabter Dilettant, der neunmal hintereinander die gleiche Sinfonie geschrieben hat» – solche Sätze entflossen nicht der Feder hämischer Kritiker, sie stammten von berühmten Musikern, deren Rang nicht zu bestreiten ist. Wenn auch aus diesen Sätzen ein totales Nicht-Verständnis spricht, eine negative Entscheidung, so deuten sie doch auf eine Eigenschaft der Brucknerschen Sinfonik hin, die der Komponist dadurch bestätigte,

Die letzte Aufnahme: Bruckner (Mitte) am Eingang seiner Wohnung im Belvedere

Der Sarkophag unter der Orgel von St. Florian

daß er, übertrieben formuliert, in seiner Spätzeit an allen Sinfonien, wie an einem und nur einem Werk, gleichzeitig arbeitete. Die Haltung des ungeduldigen Künstlers, der sich vom Werk brüsk distanziert, wenn es vollendet ist, lag ihm offenbar fern. Niemand argwöhnt, er habe sich, in Eitelkeit befangen, nicht von seinem Werk losreißen können; dennoch sieht die negative Betrachtung darin ein Manko, ein Verhaftetsein an fixe Ideen. Die positive Betrachtung jedoch anerkennt das, was hier als «vegetative Einheit» bezeichnet wird, die permanente Bezogenheit nicht auf eine fixe Idee, sondern auf eine Ur-Idee. Darin liegt der Unterschied.

Bruckners Sinfonien sind nicht einfach in der Beziehung eines Nacheinander verknüpft; die Struktur, die sie ordnet, weist auf ein geschlossenes Feld von großer Beziehungsdichte hin. Ein Vergleich mit Beethoven erscheint hier zulässig, weil auch der Bonner Meister

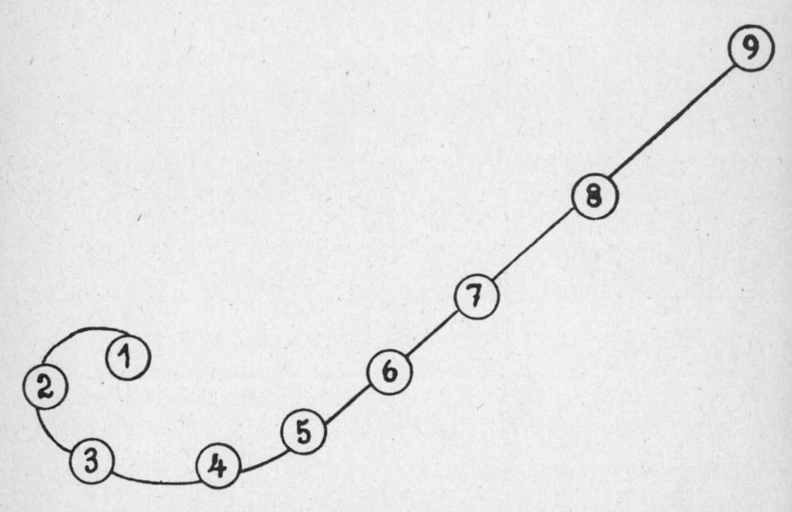

von Anfang an jenes gesamtsinfonische Bewußtsein gehabt zu haben scheint, das für ein ganzes Jahrhundert verbindlich wurde. Seine neun Sinfonien sind herausgehoben und geeint durch die gleiche künstlerische Moral, die jede Beiläufigkeit ausschließt, sie sind allesamt Konzentrate. Im übrigen haben sie nichts miteinander zu tun, w o l l e n sie nichts miteinander zu tun haben. Man glaubt geradezu zwischen ihnen zunehmend divergierende Kräfte zu spüren, die Fliehkraft zwischen der «Neunten» und der «Achten» ist stärker als zwischen irgendwelchen früheren Sinfonien. Beethovens Sinfonik ist für unser Gefühl weit auseinandergezogen, obwohl sie, verglichen mit Bruckners, innerhalb kürzerer Zeit entstand. Der innere Abstand zwischen der ersten und der letzten ist größer als der chronologische, Beethovens Sinfonik hat zentrifugale Tendenz.

Bei Bruckner ist es umgekehrt; seine Sinfonik hat die innere Ziel-

Im Arbeitszimmer in St. Florian

strebigkeit, einen vorgeprägten, einheitlichen geistigen Raum zu umreißen, abzuschließen und auszufüllen. Wenn wir uns, wie der Chemiker für die Moleküle, ein Symbol für die Struktur dieser Verknüpfungen machen wollten, müßte es so sein, daß das Nacheinander und das Nebeneinander sich durchdringen, daß zwischen jeder Sinfonie und jeder anderen eine nahe und unmittelbare Beziehung denkbar ist. Daß so etwas nicht reine Spekulation ist, hat Bruckner selbst unmißverständlich zu verstehen gegeben, indem er durch Themenzitate Verbindungen zwischen einzelnen Sinfonien hergestellt hat. Sol-

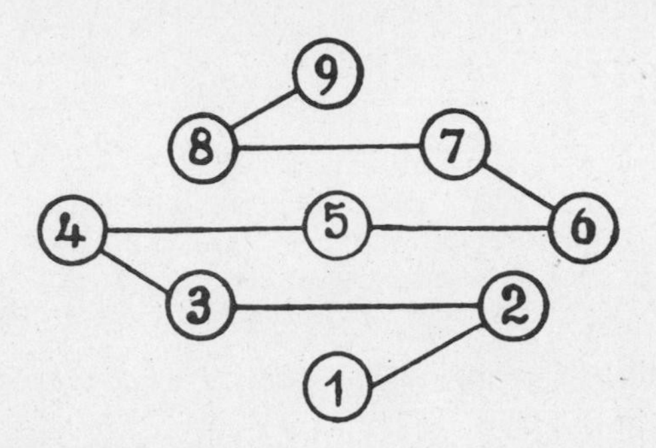

che thematischen Anknüpfungen bestehen zwischen den Sinfonien II und III, V und VI, am Ende des Adagios der «Neunten» klingen Motive aus den beiden vorangegangenen Sinfonien an. Diese Themenzitate liegen offen zutage, die Frage ist, welche Bedeutung man ihnen beizumessen geneigt ist. Der Schritt ins Spekulative, von dem man bei der Betrachtung der Brucknerschen Sinfonik nie ganz loskommt, wird getan, wenn man es nicht als Zufall ansieht, daß durch diese zitatenhaften Verbindungen das Gesamtwerk im Sinn der Dreiheit rhythmisiert wird. Die Zahl «Drei» spielt in Bruckners Werk eine kaum ganz zu erfassende Rolle.

Auch wer das Problem der Zahlensymbolik auf sich beruhen läßt, wer sich gar von Zahlenmystik gänzlich fernhält, wird schwerlich bestreiten, daß die Zahl für die musikalische Struktur von größter Bedeutung ist. Die Musik der «Niederländer» und die des «Barock» bis hin zu Bach hatte architektonischen Charakter, sie beruhte auf Proportionen, die sich in Zahlenverhältnissen ausdrücken lassen. Die klassische Musik und die des 19. Jahrhunderts hatte es nicht in vergleichbarem Maß mit Quanten, Proportionen und mithin mit Zahlen zu tun, aber sie besitzt – wie jede Musik – Bewegung, sie hat Puls, sie atmet in Phasen. Für die klassische Musik ist die Zwei die Grundzahl. Die Zwei ist eine gerade Zahl von eindeutiger Symmetrie, sie ist mitverantwortlich für die Anschaulichkeit, durch die die klassische Musik ausgezeichnet ist. Für den klassischen Sonatensatz war der Gegensatz z w e i e r Themen maßgeblich, und auch die klassische Thematik artikuliert sich fast ausnahmslos in der Zweiheit.

Die Halbkadenz öffnet sich, die Halbkadenz schließt sich, dieser zweiphasige Vorgang diktiert das Verhalten der klassischen Musik überwiegend, sie atmet in der «Zwei». Die Zahl Drei ist weniger rational, nicht ebenso eindeutig symmetrisch, ihr Aufbau ist komplexer, als Grundzahl kompliziert sie die Musik und gibt ihr eine hintergründige Perspektive. Eine Musik, in deren Aufbau und Ablauf die Zahl Drei maßgeblich hineinwirkt, gar eine Musik, bei der das Verhältnis von 2 : 3 als Formel im Spiel ist, kann nicht so durchschaubar sein wie eine Musik der Zwei. Erst wenn nachgewiesen wird, daß die Formel 2 : 3 in allen Schichten der Brucknerschen Sinfonik wirksam ist, in der Motivzelle ebenso wie in der Formstruktur einzelner Sätze und schließlich im übergreifenden Umriß des Gesamtwerkes, erst dann kann von der «vegetativen Einheit der Brucknerschen Sinfonik» mit Recht gesprochen werden. Der Nachweis muß versucht werden, will man nicht ganz auf das Verständnis eines grundlegenden Wachstumsgesetzes verzichten. Es gilt, die «Urpflanze» in Bruckners Musik zu finden. Ihr Nachweis, selbst wenn er gelingt, verhilft niemandem dazu, die vegetative Einheit als evident zu erleben, aber der Nachweis könnte zur Vorsicht gegenüber dem Vorwurf der Formlosigkeit mahnen.

Der Nachweis vom Verhältnis 2 : 3 in der Motivzelle erscheint fast überflüssig, weil Motivbildungen, die auf dieser Formel beruhen, so prägnant sind, so häufig vorkommen, daß sie als «Bruckner-Rhythmus» berühmt wurden. Der Bruckner-Rhythmus tritt auf in den Sinfonien II, III, IV, VI und VIII, gelegentlich durch punktierte Rhythmik verschärft. Komplizierter verschlüsselt findet sich

die Formel in den Sinfonien V und VI, hier überlagern sich die Raster 2 und 3, die Duole und die Triole dergestalt, daß sie durch die zugrunde liegende kleinste Bewegungseinheit, die Achtelbewegung, wie im Gewebe miteinander verknüpft sind.

Die Behauptung, daß die Formel 2 : 3 auch das sinfonische Gesamtwerk gliedert, ist für den Betrachter zu erhärten, der die Grenzüberschreitung ins Spekulative riskiert. Die Ahnung davon, daß Bruckners Musik an sich eine Musik der «Grenzüberschreitung» ist, sollte Mut dazu machen. Eine klare Linie teilt die große «Neun» in eine Gruppe von sechs und in eine Gruppe von drei Sinfonien, sie rhythmisiert das Gesamtwerk im Verhältnis 6 : 9, mithin 2 : 3. Diese Behauptung hat nur Sinn, wenn sich die Einteilung als wirklich fundamental und unwiderleglich erweist. Der Nachweis soll versucht werden. Mehr noch als bei den Klassikern haben bei Bruckner die Hauptthemen der ersten Sätze eine für das ganze Werk verbindliche Bedeutung. In den Sinfonien II bis VIII – die «Neunte» blieb unvollendet – werden diese Hauptthemen im Finale noch einmal angerufen, damit sich das Werk in seiner Ganzheit unüberhörbar runde. Die Hauptthemen der sechs Sinfonien III, IV, V, VI, VII und IX

bevorzugen und akzentuieren die Töne des Dreiklanges, den Grundton mit Oktav, die Quint und die Terz. Drei dieser Motive beginnen mit dem Grundton, zwei mit der Quinte und nur eines mit der Terz, das entspricht der Reihenfolge, in der die Töne mit dem Grundton verwandt sind. Hingegen finden sich nur wenige diatonische (tonleitereigene) und fast keine chromatischen Zwischentöne. Alle diese Themen besitzen in hohem Maß «Statik», eine tragende Kraft, die sich durch ein Experiment nachweisen läßt. Durch Weglassung von Zwischentönen und durch Vereinfachung des Rhythmus kann man diese Themen auf einfache Kraftlinien zurückführen. Diese reduzierten Formen sind primitiv, aber sie haben Bestand, so als wäre von einem Bauwerk noch das Gerüst stehengeblieben. Die Themen dieser Gruppe ruhen dank ihrer Statik auf sicherem Fundament, sie haben aufrechten Gang und durchmessen den Raum mit den Intervallen des Dreiklanges. Sie haben etwas Königliches und besitzen die Prägnanz einer Botschaft, die von oben kommt. Die Themen der kleineren Gruppe entstammen den Sinfonien I, II und VIII, die sämt-

lich in c-moll stehen. Auf den ersten Blick sieht man, daß diese drei Themen die Töne des Dreiklanges nicht suchen, sondern sie geradezu zu vermeiden trachten. Das Motiv der *Ersten Sinfonie* fängt mit der Sekund an, schwingt sich zur Mollsexte hinauf, fällt zurück und umspielt dann den Grundton beiläufig. Wenn im Takt 7 die Oktave endlich auf einem betonten Taktteil erreicht wird, dann ist dieser Ton insofern schon entwertet, als der Baß sich derweilen vom Grundton wegbewegt hat; die Basis ist verschoben. Das Motiv der «Zweiten» fängt mit der Mollsexte an, gleitet über das tonartfremde fis und streift das obere c nur vorübergehend. Und schließlich das Motiv der «Achten»: es ist tonartlich unbestimmt, ihm scheint jedes Fundament zu fehlen. Alle drei Motive bedienen sich auffällig diatonischer oder chromatischer Intervalle, dazu treten manchmal Quarte und Sexte. Aber man findet nicht einen Oktavschritt, nicht einen Quintschritt und nur wenige Terzschritte, die meist nicht im Hauptdreiklang liegen. Versucht man, die Motive der Dreiergruppe ebenso

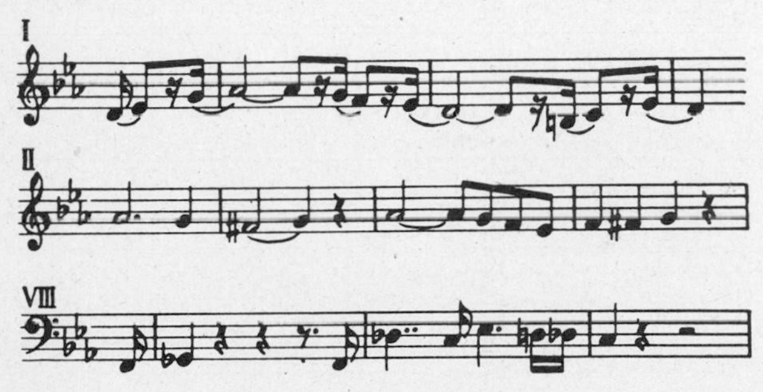

zu reduzieren wie die der Sechsergruppe, dann kommt man zu keinem Resultat. Läßt man irgendeinen Ton weg, dann entsteht einfach ein Loch, die Themen bröckeln wie ein Material, das keinen harten Kern hat. Die drei c-moll-Motive haben kein inneres Gerüst, sie steigen von unten empor, sie tappen und gleiten flackernd und schattenhaft, sie tasten und drängen. Der Unterschied zwischen den beiden Gruppen ist fundamental und von mythischer Einfachheit.

Der Nachweis, daß das Verhältnis 2 : 3 auch in der Formstruktur einzelner Sätze Bruckners eine entscheidende Rolle spielt, setzt gründlichere Betrachtung voraus. Jedem Bruckner-Freund ist bekannt, daß der Komponist in den Anfangs- und Schlußsätzen seiner Sinfonien die Themen zu Gruppen erweiterte und daß er die von der klassischen Sonate her gewohnte Zweiheit der Themen oder Gruppen durch eine dritte Gruppe ergänzte. Wieder hieße es, auf tiefergehendes Verständnis verzichten, wollte man in dieser Erweiterung lediglich eine quantitative Vermehrung des Stoffes sehen, die den Ablauf dehnt und kompliziert und überdies das Verständnis erschwert. Warum soll man nicht eine Deutung versuchen, die, sofern sie einleuchtet, wiederum zur Vorsicht gegenüber dem Vorwurf übergroßer und formal nicht hinreichend begründeter Länge mahnt. Die Themenzweiheit des klassischen Sonatensatzes hat, besonders ausgeprägt bei Haydn und Beethoven, ihre Rechtfertigung, ihre innere Begründung, ihre Evidenz dadurch erhalten, daß sie mit einer ganz bestimmten Qualität verknüpft ist. Die klassische Themenzweiheit beinhaltet einen Dualismus, eine Gegensätzlichkeit, deren Deutbarkeit nie ernstlich bestritten wurde. In den ersten Themen sind stets die Energien gespeichert, die im Verlauf des Satzes zur Aktion drängen, die sein Schicksal bestimmen. Diese Themen haben «bewirkende» Kraft. Die zweiten Themen dagegen «wirken» durch ihr Dasein, sie strahlen Schönheit aus, sie sublimieren die episodische Möglichkeit der Musik. Dieser klassische Themendualismus symbolisiert so etwas wie eine innermenschliche Gegensätzlichkeit, die oft als die mann-weibliche Polarität definiert worden ist. Eine bloß quantitative Vermehrung der Themen ergäbe in der Tat keinen Sinn, sie würde nur Unverständnis bewirken. Bruckner, so jedenfalls sieht es das Bruckner-Verständnis, brachte durch die Dreiheit eine neue Qualität in die Musik hinein, eine, die Deutung verlangt und ermöglicht. Den Themendualismus der Klassik hat er für seine Sinfonik

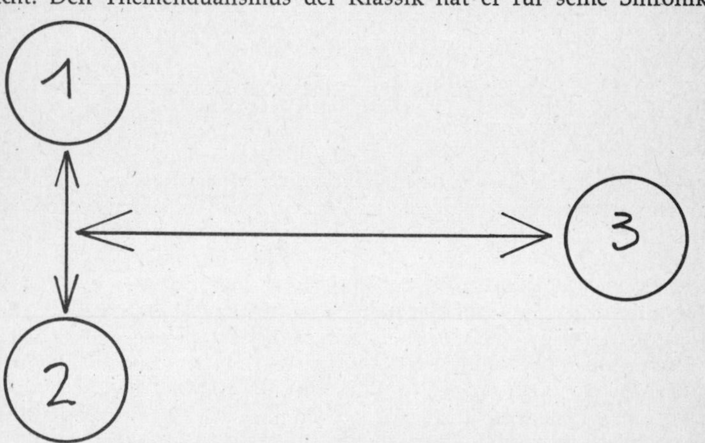

übernommen und, hierin Brahms vergleichbar, noch einmal fruchtbar gemacht. Aber er hat zugleich der inner-menschlichen Gegensätzlichkeit des Themendualismus einen außer-menschlichen Standort gegenübergestellt. Seine dritte Gruppe distanziert sich von den beiden ersten Gruppen als von einer in sich geschlossenen Dualität. Musikalisch drückt sich diese «Ferne», diese erhabene Objektivität durch eine latente Einstimmigkeit aus, deren Herkunft aus der Gregorianik nicht zu verkennen ist. Bruckners Dreiheit erweist sich nicht weniger sinnerfüllt und deutbar als die klassische Zweiheit.

Auf der Suche nach der Wirksamkeit der Formel 2 : 3 im Brucknerschen Sinfoniehauptsatz stößt man auf die Exposition des ersten Satzes der «Siebenten» als auf ein besonders schönes und einleuchtendes Beispiel. Die Exposition enthält drei Gruppen: die des aus der Harmonie gezeugten, intervallischen Hauptthemas, dessen isolierte Motivteile nach tastenden Versuchen die entscheidende «Durchführung» bewirken, ehe sie sich in der «Reprise» wieder zur Themeneinheit binden. Dann die Gruppe des diatonischen, aus linearen Impulsen gezeugten zweiten Themas, dem die Harmonie gleichsam nur unterlegt ist. Und schließlich die lapidare dritte Gruppe, in deren «Größe» sich ein außermenschliches Distanzgefühl ausdrückt. Die erste Gruppe ist zweigeteilt, das Hauptthema wird wiederholt. In sich ist es wiederum in zwei Abschnitte gegliedert, deren jeder anders als das klassische Motiv in drei Phasen atmet. Die drei Phasen des Kopfmotives sind Streckung, Zusammenziehung und Ent-

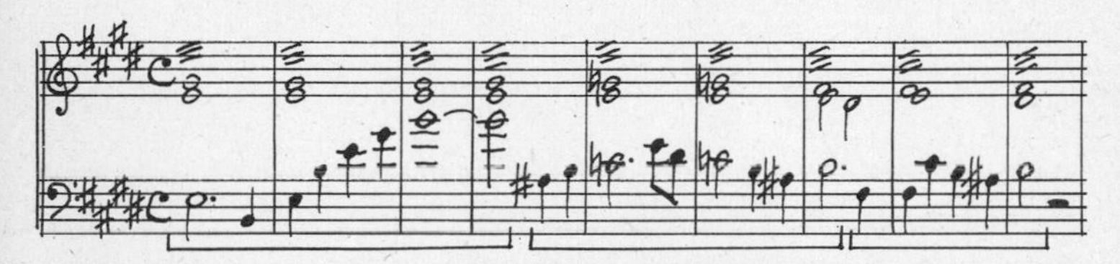

spannung, es sind Phasen eines naturhaften, eines biologischen Vorgangs, die Keimzelle der Brucknerschen Sinfonik ist vegetativer Natur. Wenn man anerkennt, daß die Formel 2 : 3 auch in der Schicht der Sonatenform gestaltbildend wirkt, dann erweist sich, daß die «vegetative Einheit» zwischen Motivzelle und Umriß des Werkganzen die gesamte Gestaltbreite der Brucknerschen Sinfonik durchwirkt.

Bruckner, der sich kaum je reflektierend Rechenschaft über die Aufgabenstellung und über die komplizierte Struktur seiner Sinfonik ablegte, hat nicht zu erkennen gegeben, ob Zahlenprobleme ihn bewußt beschäftigt haben. Man wird annehmen dürfen, daß diese Formeln aus unbewußten Schichten aufsteigend in das Wachstum seiner Musik hineinwirkten. Und doch gibt es ein Symptom, das in diesem Zusammenhang eine veränderte Bedeutung gewinnt. Bekanntlich hatte er die von der Umwelt als schrullig empfundene und von der Psychiatrie als bedenklich diagnostizierte Manie des Zählens, er stand unter dem Zwang, alle möglichen Objekte abzählen zu müssen.

Und es ist bekannt, daß er in seinen Sinfoniepartituren ganze Abschnitte Takt für Takt numerierte. Es ist vielleicht keine allzu kühne Hypothese, wenn man diese Symptome nicht nur negativ, als Anomalie sieht, sondern sich vorstellt, daß in der Tiefenschicht schöpferische Prozesse, die mit Zahlen zu tun haben, ihre Reflexe auch hinauf in das labile Bewußtsein des merkwürdigen Mannes entsandten.

GESTALTEN – ZUSAMMENHÄNGE – QUALITÄTEN

Alle neun Sinfonien Bruckners, auch die noch vor der «Ersten» komponierte *«Nullte»*, beginnen mit einem klanglich-rhythmischen «Medium», das den Eintritt des ersten Themas vorbereitet. In keinem Fall beginnt die Sinfonie unmittelbar mit der fertigen Gestalt des kadenzierenden Themas so, wie es für die klassische Sinfonik und noch für Brahms selbstverständlich war, sofern dem ersten Satz nicht eine motivisch profilierte Einleitung vorangeschickt wurde. Bruckners vorweg erklingendes «Medium» und die «Einleitungen», mit denen zum Beispiel Haydn seine «Sinfonie 104», Mozart die große Es-Dur-Sinfonie und Beethoven seine «Zweite» und «Siebente» eröffneten, sind zwei ganz verschiedene Dinge. Die klassischen Einleitungen haben in manchen Fällen dekorative Bedeutung, in ihnen stilisiert sich das «Vorhang auf» der Sinfonie. In Beethovens Einleitungen tritt die dekorative Funktion eines Portals zurück zugunsten der inneren Bezüglichkeit, der Spannung auf den bevorstehenden Satz, seine Einleitungen haben dramaturgische Bedeutung. Bruckner hat nur seiner «Fünften» eine Einleitung vorausgeschickt, sie hat innere Bezüglichkeit, aber eine, die auf die ganze Sinfonie zielt. Diese Einleitung enthüllt einen für das Gesamtwerk fundamentalen Motivkern. Aber auch dieser Einleitung geht ein «Medium» voraus.

Bruckners «Erste» beginnt mit tappenden Akkorden, die «Zweite» mit vibrierenden Sextolen. Die komplizierte Eröffnung der «Dritten» spielt sich vor einem Gitter von Dreiklangsbrechungen ab, das Hornthema der «Vierten» ist umhüllt von einem vorweg erklingenden Es-Dur-Dreiklang. Vorausklingendes Medium der «Fünften» ist im tropfenden Pizzicato der Bässe eine Bewegung, die mit der Stetigkeit eines Pendels weiterschwingt. Die begleitenden Harmonien suggerieren die Vorstellung vom fast unhörbaren Puls eines im Tiefschlaf befindlichen Lebewesens; erst in den weckenden Fanfaren der Bläser bricht der Wille zur Gestaltung durch. Die «Sechste» eröffnet in hoher Lage mit dem punktierten Bruckner-Rhythmus, das Hörbewußtsein registriert «Spannung», ehe in der ganz tiefen Lage der Bässe das eigentliche Thema ertönt. Wie Bruckner in den dann folgenden Takten das Vakuum zwischen Medium und Thema verdichtet, Harmonie und Polyphonie sich auskristallisieren läßt, das ist einer der ungewöhnlichsten Vorgänge der Musik, ein Prozeß, der, wie es die Statistik des Urteils beweist, nur bestaunt und bewundert oder total verworfen werden kann; die mittlere Einschätzung ist nie versucht worden. Die «Siebente» beginnt mit der schimmernden E-Dur-Terz, die «Achte» mit einem tonartlich unbestimmten F, die «Neunte» mit dem Grundton D, der 18 Takte lang festgehalten wird, bis seine Spaltung in die Sekundreibung Des-Es die Energien der Satzgestaltung freisetzt. In diesen 18 Takten wird die beharrende Kraft des unverändert liegenbleibenden Grundtons potenziert durch ein Motiv der Hörner, das in sich zurückzuführen scheint. Der Anfang der «Neunten» bestätigt noch einmal exemplarisch Bruckners Willen, die Sinfonie aus einem Zustand der Ruhe herauswachsen zu lassen, das Hörbewußtsein zurückzuverlegen in das Vorfeld der Gestaltung. Wie Bruckner seine Sinfonien in jeweilig abgewandelter, dennoch gleichbleibend typischer Art beginnen läßt, wurde – wie alle charakteristischen Phänomene seiner Sinfonik – positiv und negativ gesehen.

Die positive Betrachtung umkreist dieses Phänomen als ein mythisches, als den Versuch, das Werden von Musik schlechthin in die sinfonische Gestaltung einzubeziehen. Vokabeln wie «Urmusik» wurden bemüht, um Prozesse zu erklären, die vor der Schwelle zur Wachheit, vor dem Eintritt in das Reich der formalen Gestaltung, eine Dämmerungszone durchschreiten. In den Anfangstakten der «Neunten» führte Bruckner die Musik noch einmal ganz in die Nähe der «Mütter» zurück. Die negative Betrachtung hat die unthematischen Vorbereitungstakte aller Sinfonien mit einer fixen Idee zu erklären versucht: Bruckner sei nicht losgekommen von dem Vorbild, das Beethoven mit dem in der Tat ähnlichen und verwandten Beginn seiner «Neunten Sinfonie» gab. Sicher ist, daß dieser Satzanfang Bruckner stark beschäftigt hat, eben jener Verwandtschaft wegen. Aber diese negative Interpretation eines charakteristischen Phänomens vernachlässigt die Differenziertheit der Anfänge aller Brucknerschen Sinfonien, sie bleibt überdies jede Erklärung schuldig für ein komplementäres Phänomen, durch das die positive Betrachtung bestätigt wird: das Phänomen der Schlußsatz-Anfänge. Die Schlußsätze der Sinfonien II, III, IV und das Finalefragment der «Neunten» beginnen mit einem Medium nicht der Ruhe, sondern der Unruhe, aus der heraus sich das eigentliche Thema erst zögernd entwickelt. Das Finale der «Zweiten» braucht 22 Takte der Steigerung, bis das Hauptthema eintritt, das der «Sechsten» 28 Takte, bis es endgültig durchbricht, die vorbereitende Phase von Unruhe und sich steigernder Kraftkonzentration nimmt im Finale der «Vierten» 42 Takte in Anspruch. Für diesen Typus von Finale gab es kein Vorbild, ihn hat Bruckner als erster und einziger Komponist realisiert. Die positive Betrachtung bewertet die Aufstellung dieses Typus von Schlußsatz – er wurde mit größter Vollkommenheit in der *Vierten Sinfonie* auskomponiert – als eine große und originale Leistung. Man muß die Version von der fixen Idee schon überstrapazieren, will man auch das Phänomen der Finale-Anfänge daraus erklären. Das Phänomen der Satzanfänge insgesamt entzieht sich, wie viele andere Phänomene der Brucknerschen Sinfonik, den gewohnten Kriterien der qualitativen Bewertung, man kann sie schwer als besser oder schlechter einstufen, allenfalls als spannend oder langweilig, als sinnerfüllt oder sinnlos. Man akzeptiert sie oder man lehnt sie ab, man hat nur die Wahl zwischen Verstehen oder Nicht-verstehen, was soviel heißt wie Erleben oder Nicht-erleben.

Bei der Betrachtung der Anfänge der Sinfonien V und IX war die Rede von Motiven, die gleichsam in sich selbst zurückführen, die sich nicht weiterentwickeln, die so etwas wie einen Kreislauf darstellen. Einen solchen Prozeß hat Bruckner zur Substanz eines seiner schönsten Adagiosätze gemacht, des der *Sechsten Sinfonie*. Schon allein die abwärts schreitende und wieder aufsteigende Führung der Baßstimme weist auf einen in sich zurücklaufenden Prozeß hin, Oberstimme und Harmonie bestätigen ihn, das Thema setzt ein zweites Mal an, als wolle es sich wie ein Ausschnitt aus der Unendlichkeit endlos wiederholen. Ein solcher Prozeß wäre bei einem Klassiker der Sinfonie zwar nicht wahrscheinlich, aber doch denkbar gewesen, nur hätte der Klassiker mit Sicherheit das Thema spätestens nach seinem zweiten Ansatz in eine weiterführende Wendung gesteuert. Es gibt kein klassisches Thema, dem nicht a priori die Tendenz zur Fortentwicklung innewohnt. Bruckner überrascht durch einen geradezu mythischen Vorgang. Beim zweiten Ansatz des Streicherthemas, das «schicksalslos» erscheint, das auf der Stelle kreist, dem kein Wille zur Aktion innewohnt, greift durch die Oboe, das dionysische Instrument, ein kreatürliches Motiv ein, unter dessen Anruf das kreisende Thema stillsteht und zerbröckelt, es entstehen Spannungen, es ergeben sich Entwicklungen. Die Geschichte vom Sündenfall der Musik wird in einer Sprache von berückender Schönheit erzählt.

Zu den erstaunlichsten Phänomenen der Brucknerschen Sinfonik gehört die Befruchtungssymbolik, die nicht mit Wagners Begattungssymbolik verwechselt werden sollte. Das berühmt gewordene Hornthema des ersten Satzes der *Es-Dur-Sinfonie* ertönt viermal im Zusammenhang eines in sich zurücklaufenden Prozesses. Dann wiederholt es sich, in die hohe Lage der Holzbläser gerückt, unter Erhitzung der Harmonie, das Thema gerät in eine Krise. Es bedarf der Befruchtung durch das rhythmische Element, das in Gestalt des Bruckner-Rhythmus nach 42 Takten eindringt, sich ausbreitet und zu einem gewaltigen Ausbruch führt, in dem sich die Energien von Rhythmus und Bewegung mit der harmonischen Energie kadenzierend und modulierend vermählen. Die Befruchtungssymbolik dieses Satzbeginns ist besonders sinnfällig, sie gibt auch der Durchführung Sinn und Inhalt, der Vorgang wiederholt sich dort dreimal. Nach dritter, letzter Steigerung führt er zu einem wahren Sonnengesang des Hauptthemas, zu einem Hymnus, der manchmal mißverständlich als Choral bezeichnet wurde. Man glaubt einer Geburt beizuwohnen, so wunderbar verbinden sich vegetative und spirituelle Kräfte gerade in diesen Vorgängen, die überdies durch ein Höchstmaß an formaler Intelligenz gesteuert werden. Wie in einem seltenen Glücksfall erweist sich das Schema der «Sonatenform», das ja für den Austrag von musikalischen Prozessen entwickelt wurde, die aus ganz anderen Schichten der Inspiration kamen, als kongruent mit den Wachstumsprozessen der Brucknerschen Inspiration. In den ersten Sätzen der Sinfonien III und V hingegen tritt diese Kongruenz nicht ein, hier wird der thematische Stoff einer ihm nicht gemäßen Dramaturgie des formalen Ablaufs ausgesetzt, so, als wollte man eine mythische Begebenheit den Spielregeln der klassischen Dramentechnik unterwerfen. Diese Feststellung beweist weder etwas gegen das von Brahms und von Bruckner in Glücksfällen noch einmal aktualisierte Modell der «Sonatenform» noch etwas gegen eine schöpferische Substanz, zu deren Gestaltung dieses Modell nicht gemacht war. Die Kollision zwischen der Totalerscheinung Bruckners und dem Milieu seiner Zeit wird auch im Einzelfall seiner Komposition deutlich. Manche Sätze Bruckners bereiten seinen Anhängern eben dieser Kollision wegen Verlegenheit, man registriert offenbare Inkongruenz der Faktoren, aber man weigert sich, deswegen Unvermögen zuzugestehen. Es gibt eine Überlegung, die möglicherweise aus dieser Verlegenheit befreit. Wenn bei Ausgrabungen in tiefer Schicht einzelne Bruchstücke zutage gefördert werden, aus denen man das Ganze des längst zerbrochenen Gegenstandes allenfalls rekonstruieren kann, dann vermag selbst die einzelne Scherbe noch Kunde zu geben von einer «unzerbrochenen» Welt. Das Fragment kann überlegenen Wert besitzen. Manche Sätze Bruckners haben, ohne weiteres zugegeben, auf Grund der Inkongruenz von Stoff und Formschema fragmentarischen Charakter, man spürt die Linie des inneren Bruches deutlich. Niemandem kann benommen sein, deswegen artistische Unterlegenheit zu konstatieren. Hanslicks Urteile beruhten auf solcher Entscheidung zugunsten der Form, die Botschaft der Bruchstücke scheint ihn nicht erreicht zu haben. Die damaligen Auseinandersetzungen erlauben auch heute noch keine glatte Abrechnung; vermutlich wird sie nie möglich sein, so lange das Problem überhaupt interessiert. Doch sei eine Abklärung an einem typischen Fall versucht.

Daß der erste Satz der *Fünften Sinfonie* – in Frage steht lediglich das der Einleitung folgende Allegro – durch inneren Bruch gefährdet und mithin nicht so vollkommen und gelungen ist wie die Anfangssätze der «Vierten» und aller späteren Sinfonien, wurde schon angedeutet. Die Ursache ist unschwer zu erkennen. Das Hauptthema wird allgemein als bedeutend und schön anerkannt, aber es ist nach dem letzten Ton wie abgeschlossen, es fehlt ihm jeder Wille zur Entwicklung. Angesichts der Aufgabenstellung sonatenhafter Gestaltung bedeutet diese Eigenschaft ein Manko. Bruckner hat das selber nur zu genau gespürt, er läßt das kurze Thema sich innerhalb von nur 36 Takten fünfmal unverändert wiederholen, so als wolle er durch die häufige Wiederholung den Mangel an fortentwickelnder Kraft kompensieren. Und weiterhin hat man den Eindruck, daß die Behandlung des Themas in der Durchführung ein dem Thema aufgezwungener Prozeß ist. In allen klassischen Sinfoniehauptsätzen, auch in denen von Brahms, werden die Energien, die «Durchführung» bewirken, aus der Spaltung des ersten Themas gewonnen. Bei diesem Satz Bruckners kann von einem solchen Vorgang nicht die Rede sein, das erste Thema ist nicht «spaltbar», die Energien werden von außen zugeführt, daher der innere Bruch zwischen Stoff und Bearbeitung. Man kann das nicht bestreiten, die Bruckner-Skepsis scheint recht zu haben – aber nur dann, wenn man eine das ganze Werk betreffende Feststellung unterdrückt. Das so wenig entwicklungsfähige erste Thema ist Teil einer in der Einleitung schon kurz enthüllten Kernstruktur, die in die Gestaltung aller folgender Sätze hineinwirkt, deutlich im langsamen Satz, andeutungsweise im Scherzo und ganz offenkundig im Finale, in dessen Verlauf das Thema wieder in seiner originalen Gestalt eingreift, nicht als Reminiszenz, sondern in seiner Funktion als fundamentaler Baustein. Das Thema 1 des Finales, jenes aus dem Oktavsprung entwickelte Fugenthema, kombiniert sich mit dem Thema des ersten Satzes so, als wären beide Themen gleichzeitig erfunden und von Anfang an aufeinander bezüglich komponiert. Zwischen dem Thema 3 des Finales – dem Choral, der dazu bestimmt ist, das Finale

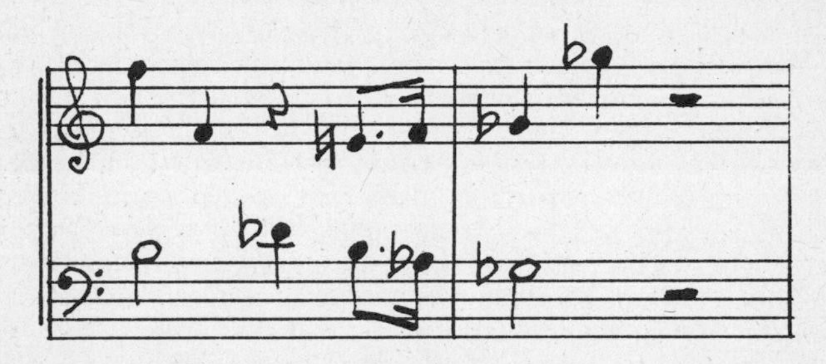

zu krönen – und dem Thema 1 des Hauptsatzes besteht Verwandtschaft ersten Grades: die Halbtonrückung der Harmonie beruht bei beiden Themen auf der Funktion des «Neapolitanischen Sextakkordes», die Themen haben die gleiche Struktur. Die ganze Sinfonie hat einen gemeinsamen Bezugspunkt. Auf kurze Formel gebracht: das Manko des ersten Satzes wird nicht behoben, aber begründet dadurch, daß sein Hauptthema nicht entwickelbar ist, wohl aber dazu bestimmt, als Kernmotiv in allen Teilen des Ganzen gegenwärtig zu sein. Und schließlich kann nicht übersehen werden, daß die «Fünfte», mehr als jede andere Sinfonie Bruckners, auf das Finale hin disponiert ist. Nicht in erster Linie dekorativ, auf den krönenden Abschluß zielend, sondern vor allem insoweit, als in diesem Schlußsatz der sonatenhafte Grundriß zwar beibehalten, jedoch überlagert wird von Vorgängen, die dem architektonisch-kontrapunktischen Denken der Musik entsprangen. Die Synthese zweier Dimensionen der Musik gibt diesem Satz und damit dem ganzen Werk Bedeutung.

Die Gleichzeitigkeit von vegetativer und spiritueller Inspiration hat an einigen Stellen innerhalb der Brucknerschen Sinfonik zur höchst merkwürdigen Identifikation von Elementen geführt, die im christlichen Milieu als miteinander unvereinbar gelten. In der «Dritten» bereitet sich eine solche Stelle 24 Takte vor Schluß des Adagios vor; ganz enthüllt wird das Geheimnis dieses Vorgangs im Adagio der «Neunten» zwischen den Takten 140 und 162. Hier wird das chromatisch aufsteigende Teilmotiv aus dem Hauptthema des Satzes isoliert und der Aufstieg in drei Phasen ununterbrochen fortgesetzt. Die erste Phase ist tristanhaft gequält harmonisiert, die zweite vollzieht sich in gewalttätig enggeführter Zweistimmigkeit, die dritte führt mit dem Ausdruck inbrünstigen Flehens bis auf die höchste Stufe, sie löst eine Flut absinkender Akkorde aus, bewirkt eine Entspannung, in der das Erlebnis der «Lust» und das der «Gnade» zusammenfallen. Heidnisches Fruchtbarkeitsritual und christliches Glaubensritual identifizieren sich. Die Musik, obwohl gerade an dieser Stelle «modern», führt zurück an einen Ort vor der Spaltung der Welt in eine «heilige» und eine «sündige» Sphäre.

Ein weiteres Phänomen, das nur und nur dem Sinfoniker Bruckner gehört, ist die vielschichtige Melodik der zweiten Themen, die von der traditionellen Formenlehre als Seiten- oder Gesangsthemen deklariert werden. Im 19. Jahrhundert, das den vom Barock verschuldeten Kult der Oberstimmenmelodik gelegentlich bis zur Brutalität gesteigert hat, erfand Bruckner eine polyphone Melodik von unbeschreiblichem Adel. Ob eine unbewußte Reminiszenz an vor-barokke Melodiegestaltung vorliegt, muß der spekulativen Erwägung vorbehalten bleiben, in der Klassik jedenfalls hat Bruckners vielschichtige Melodik, die das Ohr gleichzeitig an mehreren Bewegungen teilnehmen läßt, kein Vorbild. Idealgestalten dieses Typus finden sich im Finale der *Zweiten Sinfonie*, besonders in der melodisch unersättlichen Reprise des Seitenthemas, an der gleichen Stelle in der «Dritten» und der «Vierten». Vielschichtige Melodik adelt das an sich spröde Finale der «Sechsten», und sie findet ihre Erfüllung im zweiten Thema des ersten Satzes der «Neunten». Diese Themen sind es wohl, die Hanslick veranlaßten, Schönheiten im einzelnen anzuerkennen; es ist schwer, ihnen zu widerstehen. Ein weiteres, nicht weniger originales und bemerkenswertes Phänomen, das wiederum den zweiten Themen vorbehalten ist, liegt in der «Mittelstimmenmelodik», wie sie im Adagio der «Zweiten», im Andante der «Vierten» und im ersten Satz der *Fünften Sinfonie* zu finden ist. In all diesen Fällen ist die gesangliche Linie in die Mittelschicht einer vom Pizzicato der Streicher ausgeführten, choralähnlichen Homophonie gelegt. Man kommt nicht los von dem Gedanken an die Tenormelodik der Renaissancemusik, von der Bruckner schwerlich bewußt Notiz genommen haben dürfte. Die Reminiszenz scheint in einem rational kaum erklärbaren Vorgang aus Schichten im eigenen Innern ins kompositorische Bewußtsein aufgestiegen zu sein. Wie immer, für die Betrachtung ist allein wichtig, daß die Verlegung der Melodie in die harmonische Mittelschicht zu einer Aufwertung der linearen Potenz geführt hat, das Gesangsthema im Andante der *Vierten Sinfonie*, den Bratschen anvertraut, erbringt für solche melodische Exklusivität den Beweis.

Klassische und nachklassische Instrumentalmusik, soweit sie sich nicht mit der Episode, der Impression oder der Expression begnügt, sondern weiter übergreifende Zusammenhänge herzustellen sucht, kennt zwei Prinzipien, mittels derer sie den motivischen Stoff fortentwickelt und seine Ausdehnung begründet. Das Prinzip «Variation», bezogen jeweils auf eine Grundstruktur, ist mit dem konventionellen Formschema des Variationensatzes nicht erschöpft; man möchte eher sagen, daß das Prinzip des permanenten Variierens die konventionelle Variation abzulösen begann. Beethovens Spätwerk ist durch permanente Variation auch da differenziert und begründet, wo von dem traditionellen Nacheinander numerierter Abschnitte keine Rede ist. Schon Haydn gab im langsamen Satz seiner «Sinfonie 104» ein wunderbares Beispiel dafür, wie der Prozeß des Variierens den Fortgang der konventionellen Variation überflutet. Brahms hat die permanente Variation aufgenommen und als späte Erbschaft in die «Neue Musik» weitergeleitet. Bruckner hat sich in seiner Sinfonik als völlig gleichgültig gegenüber dem Prinzip Variation erwiesen, um so intensiver war er mit dem anderen fundamentalen Prinzip beschäftigt, dem Prinzip «Durchführung», das bezogen ist auf die Spannung gegensätzlicher Strukturen. Er hat sich die permanente Durchführung zur Aufgabe gemacht, als einen Prozeß, der sich von dem konventionellen Abschnitt des Sonatensatzes, der «Durchführung» heißt, ebenso emanzipiert, wie sich die permanente Variation vom «Variationensatz» emanzipierte. In den ersten vier Sinfonien ist der Abschnitt «Durchführung» noch durch einschneidende Zäsuren strikt getrennt von den Abschnitten «Exposition» und «Reprise». In der «Fünften» wird die Reprise des Hauptthemas durch eine Steigerung erreicht, die in der Einleitung vorgebildet wurde. In allen späteren Sinfonien fällt ein wichtiger Zielpunkt der Durchführung mit der Reprise zusammen, das Schema der Sonatenform wird verändert zugunsten der permanenten Durchführung.

Ausgehend von Carl Philipp Emanuel Bachs «Sonaten mit veränderten Reprisen» haben die Klassiker, mit Vorrang Haydn und Beethoven, dem Vorgang der Themenwiederkehr größte Aufmerksamkeit geschenkt. Terminologisch etwas unklar wird als Reprise sowohl der Moment bezeichnet, in dem das Hauptthema nach abgeschlossener Durchführung wiederkehrt, wie auch der sich daran anschließende Ablauf, innerhalb dessen die gesamte Exposition in etwa wiederholt wird. Für Haydn und Beethoven – Mozart und Schubert verhielten sich dieser Aufgabenstellung gegenüber indifferent – wurde die Sonatenkomposition überhaupt erst gerechtfertigt durch die Überwindung der konventionell ablaufenden Reprise. Die Reprise hat, so glaubt man die Klassiker zu verstehen, die Vorgänge der Durchführung zu reflektieren, eine veränderte Sachlage zu signalisieren. Durchführung und Reprise stehen in einem Zusammenhang, der dem Satz die eigentliche Evidenz verleiht. Aus der lediglich veränderten Reprise wird die auf Veränderung bezugnehmende Reprise, eine Aufgabe, für die Haydn und Beethoven unermüdlich einleuchtende und höchst geistvolle Lösungen fanden. Da kam die «falsche», die vorgetäuschte Reprise ebenso vor wie die verschleierte, für die Brahms im ersten Satz seines «a-moll-Klarinettentrios» ein letztes, wunderbares Beispiel gab. Beethoven ließ im ersten Satz der «Eroica» auf einem noch nicht aufgelösten Dominantseptakkord das Hauptthema verfrüht einsetzen, als auftrumpfendes Symptom einer Reprisen-Dramaturgie, deren Bewußtheit und Absichtlichkeit dem Schöpfer der vegetativen Sinfonik unendlich fern lag.

Bruckner beließ es zunächst bei der konventionellen, der «unveränderten» Reprise. In den ersten Sätzen der Sinfonien I bis IV läßt er die Durchführung in einer Halbkadenz auslaufen; die Musik verstummt, bis dann das allenfalls ornamental geschmückte Hauptthema regulär, unverändert eintritt. Er mißachtete scheinbar eine von Haydn und Beethoven demonstrativ praktizierte Lösung der Sonatenform, aber nicht, wie die negative Betrachtung es glauben machen will, aus Unvermögen oder aus mangelndem Interesse an dem Problem, sondern weil in ihm langsam eine ganz eigene Lösung reifte, für die es weder ein Vorbild gab noch sich eine Nachfolge fand. In der Durchführung des ersten Satzes der «Sechsten» speichert der Kopf des Hauptthemas, in seiner Gestalt «gespiegelt», durch sechsfache Wiederholung bei fortwährender Modulation seine harmonischen Energien, ehe das dem Themenkopf folgende rhythmische Motiv die Energien der Bewegung hinzufügt und einen Ausbruch des Gesamtthemas auslöst, dessen innerer Schwung den Hörer so über die Schwelle der Reprise trägt, daß er sie erst registriert, wenn sie schon hinter ihm liegt. Im ersten Satz der «Siebenten» steigt das Hauptthema, nachdem seine Teilmotive durchgeführt wurden, von unten herauf, bis es den E-Dur-Horizont überschreitet, ein Vorgang, der viele Dirigenten dazu verleitet, diese Reprise durch eine Verbreiterung oder durch kurzes Zögern zu akzentuieren, so als bäte man die Sonne, einen Augenblick stillzustehen, wenn sie gerade aufgeht. Die Reprise der «Achten» ist kunstvoll so differenziert, daß man sie nicht lokalisiert, sondern ihrer erst rückwirkend bewußt wird. Im ersten Satz der «Neunten» läßt Bruckner die großformige Sinfonie an ganz neuen Ufern landen. In dem Wunderwerk dieses Satzes wird der vom hörenden Bewußtsein unverändert geortete Grundriß «Sonatenform» überwuchert von einem Wachstumsprozeß, der alle motivischen Keime sich miteinander befruchten läßt. Zwölf Gestalten sind es, die in wechselnder Paarung miteinander in Verbindung treten, während sich das Ganze des Satzes in riesigen Schüben entlang der «Form» bewegt. Wenn ein Vergleich erlaubt ist: jeder Garten ist in seinem Grundriß geplant, hat Form, aber der eigentliche Sinn des Gartens sind die vegetativen Vorgänge. Wenn man gegenüber den Wachstumsprozessen blind ist, weil man auf den Grundriß starrt, verfehlt man das Ganze. Hanslick wäre entsetzt gewesen, hätte er diesen Satz noch kennengelernt. Aber als die «Neunte» im Jahre 1903 uraufgeführt wurde, lebte er schon im Ruhestand, er starb 1904.

Die «Coda», jener Epilog, der als formaler Anhang, als Bekräftigung des Abschlusses, schon in der älteren Musik eine Rolle spielte, war von den Klassikern seiner konventionellen Bedeutung entkleidet und mit einer «bezugnehmenden», einer dramaturgischen Bedeutung beauftragt worden, die in immer neuen Varianten realisiert wurde. Bruckner hat in seinen Sinfonien die Coda schwer befrachtet, indem er diesem Abschnitt sowohl dekorativen Glanz wie bezugnehmende Bedeutung auflud. Im Finale der «Vierten», einem Schlußsatz von unantastbarer Vollkommenheit und höchster Kompliziertheit, scheint es, als solle nach erfolgter Durchführung das regulär wiederholte zweite Thema, das «Gesangsthema», den Abschluß unmittelbar herbeiführen. Dank intensiver Steigerung der Harmonie glaubt man, soll man glauben, der Durchbruch zur größten Helligkeit stünde unmittelbar bevor. Aber Bruckner will es anders, schöner, besser, komplizierter. Er steuert die steil aufwärts strebende Musik abrupt hinunter in die Tiefe und zurück zum Satzbeginn. Auf einem ostinaten Sekundmotiv läßt er sie 38 Takte lang in einer Periode scheinbaren Stillstandes verharren, während derer das Thema dreimal angerufen wird, eine trauernde Melodie den Abschied vom Ganzen des Werkes ankündigt, bis nach nochmalig dreifachem Anruf des Themas die Musik endlich verzückt wieder nach oben taumelt. Erst acht Takte vor dem endgültigen Schluß ist die größte Helligkeit erreicht. Bruckner beweist Ökonomie der Steigerung, nicht – wie unbesehen angenommen wird – Verschwendung. Wenn es eines Beweises dafür bedürfte, daß er Rausch und Ekstase unter dem Gebot der formalen Zielstrebigkeit bewußt und intelligent zu disziplinieren verstand, so läge er allein in dieser Coda der *Vierten Sinfonie*. Seine Zeitgenossen mißverstanden solche Abläufe entweder positiv oder negativ. Die Anhänger billigten Bruckners Ekstasen irrig als Bestätigung von Wagners Rausch, die Gegner mißbilligten sie als formlos, weil sie auf einen bestimmten Begriff von Form vereidigt waren. Auf überlegene Weise trennt Bruckner manchmal die bezugnehmende Funktion der Coda von der rein dekorativen. Im ersten Satz der «Sechsten» wandert das von jedem Willen erlöste Thema um den Horizont der Harmonien, ehe es zum Schluß hin strebend gesteigert wird. Im ersten Satz der «Siebenten» werden Teilmotive des Themas auf tiefem Orgelpunkt ein letztes Mal durchgeführt, ehe sich die Schleusen des Glanzes öffnen. Berühmt wurde, wie der erste Satz der «Achten» erlischt. In dieser Coda verbot sich ein dekorativer Abschluß, hier konnte es nur eine bis zur letzten, unhörbaren Note fortdauernde Bezugnahme auf das düstere Geschehen des Satzes geben. Im ersten Satz der «Neunten» scheut man sich, den in letzter Reminiszenz konventionellen Formbegriff «Coda» anzuwenden, so unlöslich sind in diesem Satz alle Teile miteinander verwachsen, so unersättlich drängt das «Werden» von Musik bis zum letzten Ton.

Unbestrittener Beliebtheit erfreuten sich von jeher Bruckners Scherzosätze; sie wurde begründet durch die Polarität von Deftigkeit und einer tänzerischen Anmut, die Erinnerungen an Volksmusik weckt. Mit dem Scherzo der *Ersten Sinfonie* brach eine «unheimliche» Gewalt ein in die friedliche Landschaft der nachklassisch-romantischen Sinfonik. Die Bruckner-Forschung hat gelegentlich die Scherzi als teilweise unterhalb der Höhenlinie des Gesamtwerkes stehend eingestuft. Einig sind sich Forschung und Publikumsurteil jedoch in der Überzeugung, daß in dem Scherzo der «Neunten» die höchste, weder vorher oder gar später erreichte Sublimierung eines Typus von Musik erreicht wurde, der, anfänglich aus der Konvention kommend, zum immer wieder anders gesehenen Problem, zur immer neu gelösten Aufgabe absoluter Instrumentalmusik geworden war. An ihren Scherzi sollt ihr sie erkennen – das gilt auch für Bruckner.

Es gilt aber auch für seine langsamen Sinfoniesätze, zu denen das Adagio seines *Streichquintetts* als ebenbürtig gehört. In diesen Sätzen ist eine spirituell geadelte, eine von der subjektiven Emotion unangekränkelte Schönheit so verschwenderisch ausgebreitet, daß das Bewußtsein von Form und Verlauf eingelullt wird. Nun ist das Schema vom Ablauf dieser Sätze in der Tat sehr plausibel. In den meisten Fällen wird die Abfolge zweier gegensätzlicher Themen unter Einschaltung durchführender Partien und Hinzufügung schmükkender Ornamente wiederholt und durch das dritte Erscheinen des zu größter Intensität gesteigerten Hauptthemas gekrönt, ein Höhepunkt, dem oft ein längerer Epilog folgt. Das Schema sieht so aus: $a^1 - b^1$, $a^2 - b^2$, a^3. Wenn man Vereinfachung in Kauf nehmen will, kann man sagen, daß die langsamen Sätze der Sinfonien II, IV, V, VII, VIII und IX diesem Schema folgen, das Adagio der Sinfonie VI weicht ein wenig davon ab, vermutlich, weil es mit drei Themen zu tun hat, die wiederholt werden. Eine schon frühzeitig als bedeutend anerkannte Leistung Bruckners liegt in dem Adagiothema der *Siebenten Sinfonie*, das sich bei ganz langsamem Tempo, auf 30 Takte gedehnt, aus sechs Phasen aufbaut. Es gehört zu den Wundern der Musik, daß diese Teile, die später Durchführung bewirken, nicht auseinanderbröckeln, sondern in fortspinnender Bezogenheit einen Zusammenhang bilden, der so kunstvoll und schlüssig zugleich keinem anderen Komponisten gelang. Von ganz anderer Struktur sind die langsamen Sätze der Sinfonien I und III. Das Adagio der *Ersten Sinfonie* verdient größte Beachtung, weil sich die Art, wie sich der Satz aus einem Halbdunkel von langsam Gestalt annehmenden Motiven heraus entwickelt, genausoweit außerhalb jeglicher Vorstellungswelt der Musik von 1866 befand wie auch die «unheimliche» Thematik des ersten Satzes. Das Rätselhafte dieser Inspiration wird nicht geringer, sondern größer angesichts der Sicherheit, mit der sich Bruckner auf unerforschtem Terrain bewegte. Das Adagio enthält zwei gegensätzliche Themen, die in ihrer Abfolge gesteigert wiederholt werden. Zwischen diesen Abfolgen aber steht ein drittes Thema von zentraler Funktion, es bezeichnet die Mitte des Satzes, es wird nicht wiederholt, das Schema ist: $a^1 - b^1$, c, $a^2 - b^2$. Unbegreiflich im Sinn der Frage: wer hat ihn, den Linzer Dom-Organisten, das eigentlich gelehrt, ist die Kunst, mit der Bruckner den Satz nach Ablauf des Zentralthemas wieder zum ersten Thema zurückführt. Der Vorgang wird verschleiert, und er überlagert den mit dieser Reprise verbundenen Taktwechsel. Hinter dem Gespinst der unaufhörlich weiterlaufenden Sechzehntelbewegung bleibt der Übergang von Dreivierteltakt zu Viervierteltakt unmerklich; stetig wie der Zeiger einer Uhr rückt der Satz weiter, die Kunst der langsamen Musik feiert ihren ersten stillen Triumph. Mit Wagner hat ein solcher Prozeß nichts zu tun, nichts mit Romantik, Klassik oder gar mit Bach oder Palestrina. Die Frage nach der Herkunft ist unbeantwortbar, der abhängigkeitsbereite Bruckner führte sich mit extrem «unabhängiger» Musik ein. Der «Zentralbau» eines langsamen Satzes findet sich nur noch in der *Dritten Sinfonie*. Hier ist allerdings die Symmetrie, die an den Aufbau eines Flügelaltars denken läßt, noch ausgeprägter, das Zentralthema durch seine Mystik noch klarer als «unwiederholbar» gekennzeichnet, hier ist das Schema: $a^1 - b^1$, c, $b^2 - a^2$. Nach Überschreitung der Mitte wird der Satz rückläufig.

Ein weiteres Phänomen, durch das sich Bruckners Sinfonik weit außerhalb ihrer Zeit – genauer gesagt außerhalb ihres Jahrhunderts – stellt, ist die heimlich wirkende oder offen zutage tretende Einstimmigkeit, auf die bei der Betrachtung der dritten Themengruppe seiner Hauptsätze schon hingewiesen wurde. Das sei weiter nichts als mißverstandene Gregorianik, äußerte sich einmal die negative Betrachtung. Dieser Einwand ist ebenso geistreich wie es die durchaus zutreffende Behauptung wäre, Bach habe in seiner vierstimmigen Harmonisierung der Choralmelodien «O Haupt voll Blut und Wunden» und «Aus tiefer Not schrei ich zu dir» den phrygischen Modus mißverstanden. Gegen Bruckner gerichtet, entbehrt dieser Einwand insofern jeder Begründung, als der Meister von St. Florian zwar in der Kirche mit dem gregorianischen Choral permanent in Berührung kam, jedoch arglos die romantisierte Form einer begleiteten Melodie akzeptierte, die zu «reinigen» und wissenschaftlich auf den originalen Zustand zurückzuführen ihm als Chorleiter und Organist nie eingefallen wäre. Von dieser degenerierten Praxis der Gregorianik kann er seine Einstimmigkeit nicht hergeleitet haben, er schöpfte aus verschütteten Quellen, unbewußt, nicht reflektierend. Das war mitten im romantischen Jahrhundert, Generationen, bevor in der «Neuen Musik» des 20. Jahrhunderts versucht wurde, diese Quellen wieder freizulegen und ihre Kräfte neu zu formen. Die in Bruckners Sinfonik latent wirkende Einstimmigkeit ist nicht das Produkt einer Beschäftigung mit der Gregorianik, sondern eine aus ganz tiefen Schichten heraufsickernde archaische Reminiszenz von unbezweifelbarer Originalität. Auch hier führte Bruckner die Musik weit zurück in die Nähe des Ursprungs.

Nun ist ohnehin Einstimmigkeit nicht gleich Einstimmigkeit. Wenn Beethoven im Finale seiner «Neunten» das berühmte Freudenthema zuerst einstimmig auftreten läßt, dann nicht, weil dieses Thema strukturell irgend etwas mit echter, linear begründeter Einstimmigkeit zu tun hätte. Im Gegenteil, die anfängliche Schein-Einstimmigkeit des Themas dient, dramaturgisch genial, dazu, seine sich stufenweise entwickelnde Homophonie spannungsvoll vorzubereiten. Sein wahres Wesen enthüllt dieses Thema erst dann, wenn es mit dem schwungvollen Brio eines Freudenmarsches zwischen Tonika und Dominante hin und her geworfen wird. Unisono darf nicht ohne weiteres mit Einstimmigkeit verwechselt werden, aber Unisono k a n n einstimmiger Natur sein. Bruckner bewies das an vielen Stellen, von denen zwei betrachtet und auf die Probe gestellt werden sollen.

Im ersten Satz der *Dritten Sinfonie* erfolgt nach 30 Takten, während derer auf unverändertem Orgelpunkt des Grundtones das Hauptthema vorbereitet, eingeführt und zu riesiger Spannung gesteigert wird, der elementare Ausbruch eines zweiten Motivs im Unisono des Orchesters, mithin einstimmig. Nach acht Takten wird dieses Motiv wiederholt, diesmal aber in vollen Akkorden harmonisiert.

Viele sensible Hörer haben bestätigt, daß sie die einstimmige Fassung des Motivs als die stärkere, als die «eigentliche» erlebt haben, hingegen die durch einen Baß gestützte und durch Akkorde ausgefüllte Fassung als die zwar wuchtigere und lautere, jedoch innerlich schwächere registrierten, so als habe Bruckner seinem eigenen Motiv die Harmonisierung ähnlich aufgenötigt, wie Bach gelegentlich Choralmelodien von kirchentonaler Struktur in die Harmonik des Generalbasses «umdachte». Umgekehrt wie bei Beethovens Beispiel beweist Bruckners Beispiel die Priorität einer «echten» Einstimmigkeit gegenüber der Homophonie, ein Phänomen, das durch die melodische Analyse der Kernlinie nachgewiesen werden kann. Ein weiteres Beispiel für die mitten im 19. Jahrhundert ganz ungewöhnliche, schlechthin unverständliche Priorität linearer Struktur vor der harmonischen Funktion ist im ersten Thema der *Sechsten Sinfonie* zu sehen, das unharmonisiert, tonal unklar lediglich auf das hohe Cis der Violinen bezogen, in den Bässen auftritt. Dieses Motiv ist in seinem Kern ebenso unverkennbar «phrygisch» wie die Melodiebewegung, die das Finale einleitet. Ein Bruckner-Kommentator[68] wies mit Recht darauf hin, daß auch die Baßlinie der zwei ersten Takte

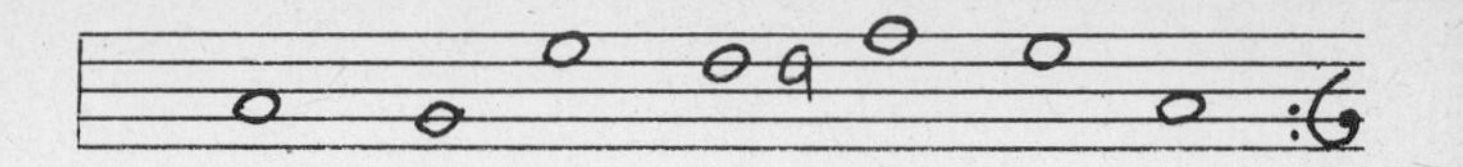

des Adagios die phrygische Tonleiter absteigend wörtlich zitiert, während sie gleichzeitig die Harmonien der Oberstimme stützt. Und schließlich gibt es bei Bruckner ein Phänomen, das er nirgendwo aus der musikalischen Praxis seiner Zeit hätte adaptieren können: die Umspielung der Einstimmigkeit durch Quinte und Oktave, ein Verfahren, das, an das Parallelen-Organum des Mittelalters erinnernd, dem *Te Deum* seine innere Kraft verleiht.

Zu den milieufremden Erscheinungen in Bruckners Musik gehört schließlich das Auftreten von Melodiesymbolen, deren gehäufte Verwendung von der negativen Betrachtung als Armutszeugnis, als Symptom der «fixen Idee» diagnostiziert wurde. Die positive Betrachtung sieht es anders, sie räumt die Möglichkeit ein, daß Bruckner so – wie es in der Musik der Renaissance und des Barock ein anerkanntes Baugeheimnis war – bestimmte Tonfolgen instinktiv bestimmten «Bedeutungen» zuordnete. Eines dieser Symbole hat er selber entschlüsselt. Im Adagio der «Fünften» tritt zum erstenmal jener aufwärts steigende Tonleiterausschnitt auf, der im Finale der «Sechsten» wiederkehrt, im Adagio der «Siebenten» in zweimaligem Ablauf zu großen Steigerungen führt und auch in den langsamen Sätzen der Sinfonien VIII und IX ausgedehnte Partien beherrscht. Dadurch, daß er diese aufsteigenden Tonschritte im *Te Deum* den Worten «Non confundar in aeternum» unterlegte, hat Bruckner angedeutet, was das Erlebnis dem Hörer ohnehin mitteilt: daß diese Tonfolgen Ausdruck von Vertrauen und Zuversicht sein sollen. Dadurch werden aus Motiven Symbole, die nicht mehr der Abwechslungs-Ästhetik der Musik jener Zeit unterstehen, sondern Signale aus einer Welt der unveränderlichen Bedeutungen geben.

Damit kommt man zum letzten Problem, zu der Frage, für wen Bruckners Musik bestimmt war, wer prädestiniert ist, sie wiederzugeben, sie hörend zu verstehen. Einleitend wurde festgestellt, daß eine auffallend scharfe Linie das Bruckner-Verständnis von einem unbehebbaren und mithin nicht anklagbaren Bruckner-Unverständnis trennt. Analog zu dieser Feststellung ergibt die Programmstatistik, daß Bruckners Sinfonik in den Musikländern der Welt ganz ungleich vertreten ist. Sie hat ihre eigentliche Heimat immer noch im Konzertleben Österreichs, Deutschlands und der Schweiz. Bruckner-freundliche Länder sind weiterhin die Niederlande, Skandinavien, England, die USA und die Sowjet-Union. Die Kurve sinkt steil ab in den romanischen Ländern, ein Faktum, das die allzu naheliegende Simplifikation verbietet, diese Musik sei unbesehen als «katholisch» einzuordnen. Dieser pauschalen Einordnung widerspricht auch die Beobachtung, daß in Bruckners Sinfonik fromme u n d aufrührerische, christliche u n d heidnische Züge zu sehen sind. Bruckner als Person war nicht nur streng katholisch, er war intensiv katholisch in dem Sinn, daß er alle

Schritte seines Lebens unter die Autorität seiner Kirche stellte. Er war Katholik wie Bach Protestant war, unabdingbar verschworen, in seinem Glauben ganz Gott untertan, in seiner Musik Gott zugewandt. Aber die Grenze zwischen Bruckner-Verständnis und Bruckner-Unverständnis verläuft nun einmal nicht entlang der konfessionellen Landesgrenze zwischen Katholizismus und Protestantismus. Auch darf man den Anteil konfessionsloser Bruckner-Anhänger nicht unterschätzen. Die so naheliegende Einstufung von Bruckners Musik als einer katholischen Kunst würde nicht nur der Statistik widersprechen, sondern allzu viele Faktoren unberücksichtigt lassen oder falsch sehen. Dennoch gibt es eine Deutung, die der konfessionellen Trennungslinie entspricht. Wenn man anerkennt, daß «Ungeduld» ein Urmotiv des Protestantismus, «Geduld» ein Urmotiv des Katholizismus ist, dann ist Bruckners Musik katholisch. Um es an einem besonders ausgeprägten Beispiel zu konkretisieren: das Finale der *Achten Sinfonie* ist mit 747 Takten bei verhältnismäßig breitem Tempo der längste Sinfoniesatz Bruckners, jedenfalls einer, der die Ungeduld besonders herausfordert. Die Formzusammenhänge dieses Satzes spannen sich in ganz weiten Bögen; die einzelnen Gruppen sind zudem extrem voneinander abgesetzt, das Nacheinander der Episoden stellt das Verständnis des Zusammenhangs auf die härteste Probe. Um auch die Interpretation in die Betrachtung einzubeziehen: jeder Versuch, den Satz ungeduldig zu raffen, zu beschleunigen oder gar zu kürzen, führt zum Gegenteil des beabsichtigten Resultates, er zerstört das Bewußtsein vom Zusammenhang. Wer nicht willens und fähig ist, vor jeder Station dieses Satzes geduldig zu verharren und sie zu «meditieren», er sei Dirigent, Instrumentalist oder Hörer, dem geht unweigerlich das Ganze verloren. In diesem Sinn ist Bruckners Musik «katholisch», Geduld ist eine Voraussetzung der Bruckner-Interpretation; zwei weitere müssen hinzutreten. «Einschwingung» in Atem und Rhythmus einer Musik, die verwurzelt ist in der Tiefenschicht von Wachstumsprozessen, ist ebenso unerläßlich wie auf der anderen Seite geistige Auseinandersetzung. Berufene Bruckner-Dirigenten sind daher selten, der Rollenwert dieser Musik ist begrenzt, sie bietet dem Ehrgeiz der Routine nur geringen Ansatz. Zu ihrem Glück. Die Geltung der Brucknerschen Sinfonik scheint nach einem vorübergehenden Höhepunkt in den zwanziger Jahren, in einer Epoche, in der ja so leidenschaftlich «verworfen» und «entdeckt» wurde, stabil zu sein. Daß sich Bruckners Musik nach einer Phase größter Nähe wie ein Gestirn wieder von uns entfernen könnte, ist nicht ausgeschlossen. Schließlich paßt sie trotz zunehmend erschlossenen Verständnisses in das musikalische Milieu der Gegenwart und besonders in das einer sich ankündigenden Zukunft noch weniger hinein als in die Umwelt ihrer Entstehungszeit. Bruckners Musik war und ist ein geheimnisvoller und bedeutungsschwerer Anachronismus, eine Erscheinung ohne Vorbereitung und ohne Folgen, ein spirituelles Ereignis, das aus unbekannter Dimension kam, sich in der atavistisch rückbezogenen Person des Menschen Bruckner manifestierte, seine Spur in den Chiffren der Partituren hinterließ und wieder erlosch.

DAS DILEMMA DER FASSUNGEN

Auf dem Notenmarkt und mithin in der musikalischen Praxis hatten Musiker und Musikfreunde es während einer gewissen Übergangszeit mit zwei verschiedenen und miteinander konkurrierenden Ausgaben von Bruckners Sinfonien zu tun. Die älteren Ausgaben waren keine «kritischen» Veröffentlichungen im Sinn der Musikwissenschaft, sie enthielten weder Vorwort noch Revisionsbericht, und wenn bei den zwei- oder vierhändigen Klavierauszügen ein Bearbeiter genannt wurde, dann nur, soweit es die Übertragung der Partitur auf den Klaviersatz betraf. Bei den Partituren wurde der Herausgeber verschwiegen, ein Umstand, der bis in die zwanziger Jahre hinein die trügerische Vorstellung begünstigte, als gäben diese Ausgaben den authentischen Text der Brucknerschen Partituren so eindeutig wieder, wie man es seit Beethoven gewohnt ist, der eifersüchtig über jeder gedruckten Note wachte. Allmählich drang dank der wissenschaftlichen Forschung auch in das Bewußtsein der musikalischen Öffentlichkeit, daß diese Ausgaben, die keinen Bearbeiter nannten, in Wirklichkeit Bearbeitungen in einem besonders gravierenden Sinn waren, unkritische Veröffentlichungen, die nunmehr mit den Originalausgaben konfrontiert wurden. Die historisierende Tendenz in unserem Musikleben gibt der Entscheidung zugunsten der «Originalfassungen» den Akzent, als habe man sich mit gutem Gewissen einfach für die Wahrheit zu entscheiden. Leider ist es mit der Wahrheit so eine Sache. Ein flüchtiger Blick in die Zusammenhänge lehrt, daß es authentische Fassungen im Sinn eines strikt dokumentierten Letzten Willens des Komponisten in vielen Fällen nicht gibt, daß es sich bei manchen der Sinfonien nur um einen vermutbar letzten Willen Bruckners handeln kann. Diese verzwickte Sachlage ergibt sich, wenn man alle Faktoren in Erwägung zieht, die mit dieser Frage zu tun haben.

Alle folgenden Erörterungen sind insofern akademischer Natur, als die auf die «Originalfassungen» begründete Praxis davon überhaupt nicht berührt werden kann und es überdies jedem Dirigenten freisteht, welche der Ausgaben er benutzen will, welche Elemente aus den beiden Ausgaben er möglicherweise heimlich kombiniert. In der Praxis ist solches eine Frage des künstlerischen Gewissens, der Überzeugung, des Dafürhaltens; aber was man keinem Dirigenten zugestehen möchte, wäre, daß er sich den Problemen überhaupt nicht stellt. Hier wird weder Philologie betrieben noch werden Dirigenten beraten, hier wird das Problem lediglich als ein für Bruckners Persönlichkeitsbild wichtiges Phänomen erörtert.

Ein Vergleich mit Beethoven und Brahms muß erlaubt sein. Beide Komponisten haben streng und manchmal lange Zeit an ihren Werken gearbeitet, ehe sie durch immer wieder veränderte Fassungen oder gar gänzlich verworfene Entwürfe hindurch bis zur letzten Note einer Partitur vordrangen, an deren unabänderlicher Gültigkeit kein Zweifel mehr bestehen konnte. Beide Komponisten haben in einzelnen Fällen dasselbe Werk in verschiedenen Fassungen legitimiert, ein Tatbestand, der offen zutage liegt, der nicht Problematik in sich birgt. Niemand hätte je riskiert, mit Beethoven oder mit Brahms über den Notentext ihrer Partituren zu diskutieren, Ratschläge zu geben, sich einzumischen oder gar sich über den Willen der Komponisten hinwegzusetzen. Die Vorstellung wäre absurd. Bei Bruckner werden Ratschlag und Einmischung hingenommen, weil man resigniert feststellen muß, daß der Komponist selber jene strikte und unmißverständlich verteidigte Überzeugung von der Unabänderlichkeit seiner Partituren vermissen ließ. Gewohnt, sich dem Ratschlag zu unterwerfen, wenn er von einer vermeintlich übergeordneten Instanz kam oder von Persönlichkeiten, zu denen er eine ganz unangemessen devote Haltung einnahm, sofern sie ihm helfen wollten, kapitulierte er bereits, als die Uraufführung der *f-moll-Messe* zur Debatte stand. Er befolgte Johann Herbecks Rat, veränderte die Instrumentation und ärgerte sich hinterher darüber. Damit hatte er ein für allemal kapituliert. Die Unterwerfungsbereitschaft eines von der Umwelt von Anfang an infantilisierten Menschen wurde nun, wo es um die eigentliche Mission ging, zum Verhängnis, zur Tragödie. Drei verschiedene Probleme sind zu unterscheiden. Es gibt Veränderungen, die Bruckner, soweit man zu wissen glaubt, aus eigenem Antrieb vornahm. Hier ist zu prüfen, ob diese Veränderungen zugunsten des Werkes erfolgten und ob sie eine definitive, nicht nur eine vorläufige Entscheidung darstellten. Dann gibt es Veränderungen, die er dem Ratschlag anderer folgend vornahm, wobei man nicht sicher ist, inwieweit er dem Rat aus Überzeugung oder widerstrebend und heimlich verärgert folgte. Und schließlich gibt es Veränderungen, die gegen seine Überzeugung, sogar gegen seinen Willen vorgenommen wurden. Die Eingriffe betrafen Kürzungen und Veränderungen des Notentextes, Hinzufügungen, Änderung von Instrumentation, Phrasierung, Strichart und Dynamik. Bruckners Ratgeber waren Ferdinand Löwe und die Brüder Franz und Joseph Schalk, Musiker, die sich, woran kein Zweifel besteht, intensiv für sein Werk einsetzten. Weniger eindeutig zu bewerten ist ihre Haltung in der Frage der Bearbeitung von Bruckners Partituren und ihr Verfahren bei der Drucklegung von Werken, die sie, soweit sie Dirigenten waren, selber aufzuführen gedachten. In dieser entscheidenden Phase der Veröffentlichung wurde der Komponist rigoros übergangen und die Druckvorlagen, die als Beweismittel für Bruckners endgültigen Willen hätten dienen können, wurden vernichtet. So schließt man eigentlich nur einen unzurechnungsfähigen Menschen von ihn selber betreffenden Entscheidungen aus. Wenn Bruck-

Carl Muck

ner auch dieses Verhalten herausgefordert hat: verdächtig wurde es später, als die daran beteiligten Bearbeiter sich gegen eine textkritische Aufhellung des Tatbestandes auffällig wehrten. Sie widersetzten sich der Aufklärung nach Kräften. Bruckner hat nicht nur die *f-moll-Messe*, er hat auch die Messen in d-moll und in e-moll nachträglich bearbeitet, sogar die *«Nullte» Sinfonie* nahm er sich noch einmal vor. Unter den neun großen Sinfonien sind eigentlich nur zwei, die eine völlig problemfreie Entscheidung ermöglichen. Die «Erste» Sinfonie gibt es in der «Linzer» Fassung von 1866 und in der «Wiener» Fassung von 1891, beide Fassungen stammen von Bruckner, sie weisen keine Spuren von Eingriffen auf. Die ersten drei Sätze der *Neunten Sinfonie* hinterließ Bruckner nach endgültiger Fixierung des Scherzos, dessen Trio zunächst anders geplant war, in einer eindeutigen Reinschrift, die er aus Angst vor seinen Ratgebern dem Dirigenten Carl Muck[69] zur Aufbewahrung für die Nachwelt übergab. Ferdinand Löwe, der in den ersten Satz einen vermittelnden Auftakt hineinkomponierte, wich in der von ihm nach Bruckners Tod besorgten Druckfassung hinsichtlich der Instrumentation, der Dynamik und der Strichartenbezeichnung so weit von dem Original ab, daß man die Uraufführung der Originalfassung im Jahre 1932 als Sensation und als Signal für den Siegeszug der kritisch revidierten Ausgaben empfand. Bei der «Sechsten» blieben die Unterschiede zwischen alter und neuer Ausgabe so unerheblich, daß sich keine Alternative stellt. Das gilt, von Retuschen der Instrumentation, von Druckfehlern und Änderungen der Dynamik abgesehen, auch bei der «Siebenten» insoweit, als der Text unangetastet blieb. Der berühmt gewordene Beckenschlag im Adagio (Buchstabe W) läßt das ganze Elend erkennen. In Bruckners Partitur steht nichts davon, seine Ratgeber scheinen ihn aber von der Notwendigkeit des seither eingebürgerten Effektes überzeugt zu haben. Er klebte eine Partiturzeile mit der Notation von Becken, Triangel und Pauke in die Partitur hinein; viel später vermerkte er jedoch mit zittriger Handschrift *gilt nicht*. Bruckners Verhalten in dieser Sache entsprach komplementär dem Verhalten seiner Ratgeber. So wie diese zwar das Genie anerkannten, jedoch seine Partituren glaubten rigoros verändern zu dürfen, ebenso schwankte Bruckner zwischen Zugeständnis und Widerruf, zwischen Dankbarkeit und zunehmendem Mißtrauen. Die im Jahre 1872 abgeschlossene *Zweite Sinfonie* wurde von Bruckner in den Jahren 1887 bis 1890 gründlich überarbeitet, ihre «Originalfassung» in den älteren Ausgaben jedoch beträchtlich gekürzt. Aber gerade diese Kürzungen stellen die Verantwortung des Dirigenten auf die Probe, soweit sie das Finale betreffen. Kurz vor dem Ende des Satzes unterbricht Bruckner die anhebende Schlußsteigerung, um das Thema des ersten Satzes naiv noch einmal zu zitieren, nachdem es in der Durchführung bereits sinnvoll eingearbeitet worden war. Selbst bedeutende Bruckner-Interpreten haben sich für diese Kürzung entschieden. Ganz kompliziert ist die Situation der *Dritten Sinfonie*, deren Wagner-hörige Erstfassung von Bruckner wohlweislich selber verworfen wurde. Außer dieser «Urfassung» gibt es drei Fassungen von 1873, 1877 und 1889. Die heutige Praxis bevorzugt die mittlere von 1877 auf Grund des einleuchtenden Argumentes, die Instrumentation von Bruckners Spätzeit sei dem Material des sechzehn Jahre früher entstandenen Werkes nicht adäquat. Dieser Einwand betrifft natürlich in noch höherem Maß die Wiener Fassung der «Ersten», hier liegt zwischen Komposition und später Zweitfassung die Spanne eines Vierteljahrhunderts! Wie immer sich Dirigenten zwischen den vorhandenen Ausgaben entscheiden mögen, es bleibt die resignierte Feststellung, daß Letztfassung, Originalfassung und Bestfassung nicht immer identisch sind. Radikal geändert hat Bruckner an der in drei Fassungen (1874, 1880 und 1890) vorliegenden «Vierten», deren Scherzo ausgetauscht, deren Finale so gut wie neu komponiert wurde. Diese scheinbaren Schwankungen des Komponisten – sie führten in diesem Fall zum optimalen Resultat – ermunterten die Bearbeiter der ersten Druckfassung dazu, sich ungeheuerliche Eingriffe zu erlauben. Das so wunderbar organisierte Finale wurde amputiert und die Reprise des zweiten Themas, um die Narbe unsichtbar zu machen, einfach transponiert. Einer Radikaloperation kommt auch die Druckausgabe der «Fünften» gleich, die in zwei Fassungen (1875 und 1878) überliefert wurde. Das Schlußmotiv des herben Adagios wurde versöhnlich umkomponiert, das Finale jedoch um 122 Takte erleichtert. Das entsprach der vordergründigen Tendenz, den abschließenden Effekt, zu dessen Krönung ein gesonderter Bläserchor hinzuinstrumentiert wurde, nicht zu lange hinauszuzögern. In dieser Form wurde die Sinfonie berühmt – so lautet die beschwichtigende Formel. In eine furchtbare Situation geriet Bruckner, als er die *Achte Sinfonie* geschrieben hatte. Von der Ablehnung durch Hermann Levi in wahre Panik versetzt, macht er sich nach kurzer Unterbrechung wieder an die Arbeit, so daß man sagen kann, die Komposition habe sechs Jahre in Anspruch genommen. Daß die ältere Druckausgabe das Adagio und das Finale, zwei in der Tat lange Sätze, um etliche Takte kürzte, nimmt nicht Wunder. Aber das war nach dem Erscheinen der Originalausgabe ein zu reparierender Defekt. Schwerwiegender sind zwei Feststellungen, die jeden Bruckner-Freund erschauern lassen. Das unhörbare Erlöschen des ersten Satzes gehört zu den Urerlebnissen seiner Sinfonik, zu den Stellen, die den Denkzwang «so und nicht anders» auslösen. Die Tatsache, daß Bruckner in der ersten Fassung diesen Satz mit einem schmetternden C-Dur enden ließ, mahnt zur Vorsicht gegenüber der begreiflichen und wohl zum Wesen des künstlerischen Erlebnisses gehörenden Illusion, es sei das, was als notwendig erlebt wird, auch wirklich notwendig gewesen. Und weiter erschreckt den Bruckner-Freund die Tatsache, daß nicht einmal die zweite Fassung angesichts der Fülle von Niederschriften eine eindeutige Version ergibt. Es gibt zwar eine Originalausgabe, aber es gibt, genaugenommen, keine Originalfassung. Die schwierige Fahndung nach der letzten Wahrheit in Bruckners Sinfonik hat hervorragende Musikwissenschaftler wie Robert Haas, Alfred Orel, Fritz Oeser und Leopold Nowak beschäftigt. Die Ergebnisse wurden und werden weiterhin in einer Gesamtausgabe dokumentiert, die heute im Musikwissenschaftlichen Verlag der Internationalen Bruckner-Gesellschaft in Wien erscheint.

Wenn man sich nicht mit der Erklärung begnügen will, die unbehebbare Kalamität der verschiedenen Fassungen beweise lediglich eine Schwäche des Komponisten, dann wird man zu einer ganz anderen Deutung verlockt. Das Dilemma um die Fassungen beruht, wie viele andere Phänomene in Bruckners Sinfonik, auf der Spaltung des Komponisten in eine schöpferische Persönlichkeit und eine «irdische», die der Kollision zwischen einer aus eigenen Tiefenschichten heraufsteigenden Spiritualität mit der darauf nicht vorbereiteten Umwelt hilflos gegenüberstand.

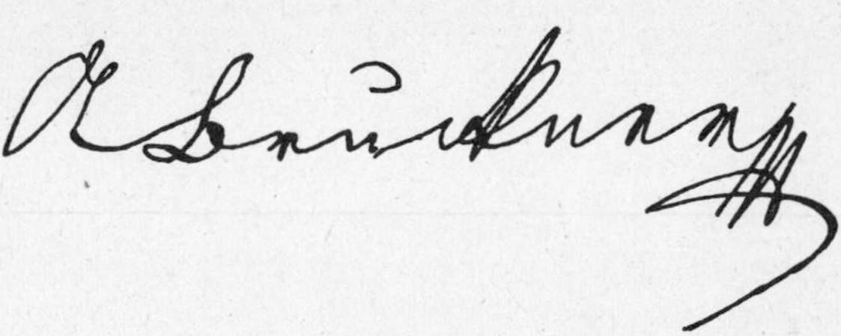

ANMERKUNGEN

1 Johannes Brahms, geb. am 7. Mai 1833 in Hamburg, gest. am 3. April 1897 in Wien.
2 Franz Schubert, geb. am 31. Januar 1797 in Liechtenthal bei Wien, gest. am 19. Januar 1828 in Wien.
3 Ludwig van Beethoven, geb. am 16. Dezember 1770 in Bonn, gest. am 26. März 1827 in Wien.
4 Joseph Haydn, geb. am 31. März 1732 in Rohrau (Niederösterreich), gest. am 31. Mai 1809 in Wien.
5 Gustav Mahler, geb. am 7. Juli 1860 in Kalischt (Böhmen), gest. am 18. Mai 1911 in Wien.
6 Johann Baptist Weiß, Organist und Komponist in Hörsching (Oberösterreich).
7 Maximilian, Kaiser von Mexiko (eigtl. Erzherzog Ferdinand Maximilian von Österreich), geb. am 6. Juli 1832 in Wien, erschossen am 19. Juni 1867 in Querétaro (Mexiko).
8 Johann Sebastian Bach, geb. am 21. März 1685 in Eisenach, gest. am 28. Juli 1750 in Leipzig.
9 August Johann Baptist Dürrnberger, geb. am 10. März 1800 in Pernstein a. d. Krems, gest. am 6. Februar 1880 in Steyr.
10 Robert Schumann, geb. am 8. Juni 1810 in Zwickau, gest. am 29. Juli 1856 in Endenich bei Bonn.
11 Richard Wagner, geb. am 22. Mai 1813 in Leipzig, gest. am 13. Februar 1883 in Venedig.
12 Wolfgang Amadé Mozart, geb. am 27. Januar 1756 in Salzburg, gest. am 5. Dezember 1791 in Wien.
13 Michael Arneth, geb. am 9. Januar 1771 in Leopoldschlag, gest. am 24. März 1854 in St. Florian.
14 Leopold von Zenetti, geb. 1805, gest. am 12. Dezember 1892 in Enns.
15 Gesuch Bruckners vom 25. Juli 1853 an die Organisierungskommission für das Kronland Österreich ob der Enns.
16 Ignaz Aßmayer, geb. am 11. Februar 1790 in Salzburg, gest. am 31. August 1862 in Wien.
17 Friedrich Mayr, geb. am 4. Oktober 1793 in Stockholm, gest. am 29. Dezember 1854 in Rom.
18 Friedrich Wilhelm Marpurg, deutscher Musiktheoretiker, geb. am 21. November 1718 in Seehof (Altmark), gest. am 22. Mai 1795 in Berlin.
19 Simon Sechter, österreichischer Musiktheoretiker, geb. am 11. Oktober 1788 in Friedberg (Böhmen), gest. am 10. September 1867 in Wien.
20 Aus einem Brief an Sechters Sohn, mitgeteilt in A. Göllerich und M. Auer: «Anton Bruckner». Regensburg 1922–1936.
21 Johann Ritter von Herbeck, Dirigent, geb. am 25. Dezember 1831 in Wien, gest. am 28. Oktober 1877 in Wien.
22 Rudolf Weinwurm, geb. am 3. April 1835 in Scheideldorf (Niederösterreich), gest. am 26. Mai 1922 in Wien.
23 Eduard Hanslick, geb. am 11. September 1825 in Prag, gest. am 6. August 1904 in Baden bei Wien.
24 Franz Liszt, geb. am 22. Oktober 1811 in Raiding (Burgenland), gest. am 31. Juli 1886 in Bayreuth.
25 Hans Guido Freiherr von Bülow, geb. am 8. Januar 1830 in Dresden, gest. am 12. Februar 1894 in Kairo.
26 Albert Lortzing, geb. am 23. Oktober 1801 in Berlin, gest. am 21. Januar 1851 in Berlin.

27 Clara Schumann geb. Wieck, geb. am 13. September 1819 in Leipzig, gest. am 20. Mai 1896 in Frankfurt a. M.
28 Cosima Wagner, geb. am 25. Dezember 1837 in Como, gest. am 1. April 1930 in Bayreuth.
29 Ludwig II., König von Bayern, geb. am 25. August 1845 in Nymphenburg, ertrunken am 13. Juni 1886 im Starnberger See.
30 Hugo Wolf, geb. am 13. März 1860 in Windisch-Gräz, gest. am 22. Februar 1903 in Wien.
31 Hector Berlioz, geb. am 11. Dezember 1803 in La Côte-Saint-André, gest. am 8. März 1869 in Paris.
32 Otto Kitzler, deutscher Kapellmeister, geb. am 16. März 1834 in Dresden, gest. am 6. September 1915 in Graz.
33 Ignaz Dorn, Geiger und Kapellmeister am Landestheater Linz.
34 Brief an Dr. August Silberstein, den Dichter des «Germanenzuges», vom 29. Juli 1863.
35 Brief an Rudolf Weinwurm, Akademischer Musikdirektor der Universität Wien.
36 Aus Göllerich und Auer, a. a. O.
37 Felix Mendelssohn-Bartholdy, geb. am 3. Februar 1809 in Hamburg, gest. am 4. November 1847 in Leipzig.
38 Franz Josef Rudigier, geb. am 6. April 1811 in Partenen (Vorarlberg), gest. am 29. November 1884 in Linz.
39 Brief aus Bad Kreuzen an Rudolf Weinwurm.
40 Brief vom 16. August 1866 an Josefine Lang.
41 Camille Saint-Saëns, geb. am 9. Oktober 1835 in Paris, gest. am 16. Dezember 1921 in Algier.
42 Charles François Gounod, geb. am 17. Juni 1818 in Paris, gest. am 18. Oktober 1893 in Paris.
43 César Franck, geb. am 10. Dezember 1822 in Lüttich, gest. am 9. November 1890 in Paris.
44 Daniel François Esprit Auber, geb. am 29. Januar 1782 in Caen, gest. am 13. Mai 1871.
45 Ambroise Thomas, geb. am 5. August 1811 in Metz, gest. am 12. Februar 1896 in Paris.
46 Jean-Philippe Rameau, geb. am 25. September 1683 in Dijon, gest. am 12. September 1764 in Paris.
47 Johann Joseph Fux, österreichischer Komponist und Musiktheoretiker, geb. 1660 in Hirtenfeld (Steiermark), gest. am 14. Februar 1741 in Wien.
48 Friedrich Klose, deutscher Komponist, geb. am 29. November 1862 in Karlsruhe, gest. am 24. Dezember 1942 in Ruvigliano (Schweiz).
49 Felix Josef Mottl, geb. am 24. August 1856 in Unter-St. Veit bei Wien, gest. am 2. Juli 1911 in München.
50 Frédéric Chopin, geb. am 1. März 1810 in Zelazowo-Wola bei Warschau, gest. am 17. Oktober 1849 in Paris.
51 Johann Georg Albrechtsberger, österreichischer Komponist und Musiktheoretiker, geb. am 3. Februar 1736 in Klosterneuburg, gest. am 7. März 1809 in Wien.
52 Carl Maria Friedrich Ernst von Weber, geb. am 18. November 1786 in Eutin, gest. am 5. Juni 1826 in London.
53 Gioacchino Antonio Rossini, geb. am 29. Februar 1792 in Pesaro, gest. am 13. November 1868 in Paris.
54 Otto Dessoff, deutscher Dirigent und Komponist, geb. am 14. Januar 1835 in Leipzig, gest. am 28. Oktober 1892 in Frankfurt a. M.

55 Ludwig Speidel, Musikrezensent, geb. am 11. April 1830 in Ulm, gest. am 3. Februar 1906 in Wien.
56 Theodor Otto Helm, österreichischer Musikschriftsteller, geb. am 9. April 1843 in Wien, gest. am 23. Dezember 1920 in Wien.
57 Hans Richter, geb. am 4. April 1843 in Raab (Ungarn), gest. am 5. Dezember 1916 in Bayreuth.
58 Mitgeteilt in Göllerich und Auer, a. a. O.
59 Georg Friedrich Händel, geb. am 23. Februar 1685 in Halle (Saale), gest. am 14. April 1759 in London.
60 Joseph Hellmesberger, geb. am 3. November 1828 in Wien, gest. am 24. Oktober 1893 in Wien.
61 Max Kalbeck, geb. am 4. Januar 1850 in Breslau, gest. am 4. Mai 1921 in Wien.
62 Arthur Nikisch, geb. am 12. Oktober 1855 in Lébényi Szent Miklos (Ungarn), gest. am 23. Januar 1922 in Leipzig.
63 Joseph Schalk, geb. am 24. März 1857 in Wien, gest. am 7. November 1900 in Wien.
64 Ferdinand Löwe, geb. am 19. Februar 1865 in Wien, gest. am 6. Januar 1925 in Wien.
65 Franz Schalk, geb. am 27. Mai 1863 in Wien, gest. am 3. September 1931 in Edlach.
66 Richard Strauss, geb. am 11. Juni 1864 in München, gest. am 8. September 1949 in Garmisch.
67 Franz Joseph I., Kaiser von Österreich und König von Ungarn, geb. am 18. August 1830 in Schönbrunn, gest. am 21. November 1916 in Schönbrunn.
68 Doryck Cooke im Hüllentext einer Philips-Schallplatte.
69 Carl Muck, geb. am 22. Oktober 1859 in Darmstadt, gest. am 3. März 1940 in Stuttgart.

ZEITTAFEL

1824 Josef Anton Bruckner kommt am 4. September in Ansfelden (Oberösterreich) als Sohn des Lehrers Anton Bruckner und seiner Frau Therese, geb. Helm, zur Welt.

1835 Bruckner wird von dem Lehrer Johann Baptist Weiß in Hörsching aufgenommen. Er erhält Unterricht im Orgelspiel und in den Anfängen der Kompositionslehre.

1836 Wegen Erkrankung des Vaters wird Bruckner nach Ansfelden zurückgeholt.

1837 Am 7. Juni stirbt der Vater. Bruckner wird Sängerknabe im Stift St. Florian. Er besucht dort die Schule und erhält Musikunterricht.

1840 Er besucht das Lehrerseminar (Präparandie) in Linz.

1841 Bruckner wird als Schulgehilfe nach Windhaag geschickt.

1843 Er wird in gleicher Eigenschaft nach Kronstorf versetzt.

1845 Bruckner wird als Hilfslehrer der Schule in St. Florian angestellt.

1848 Er wird zum provisorischen Stiftsorganist von St. Florian ernannt.

1850 Bruckner nimmt in Linz an einem Fortbildungskurs für Lehrer an höheren Schulen teil.

1851 Er wird als regulärer Stiftsorganist in St. Florian angestellt.

1854 Nachdem Bruckner dem Hofkapellmeister Ignaz Aßmayer in Wien die Partitur seines *Requiems in d-moll* vorgelegt und ihm die Vertonung des *114. Psalms* gewidmet hatte, unterzog er sich bei Aßmayer einer Prüfung im Orgelspiel.

1855 Bruckner absolviert in Linz die Prüfung für das Lehramt an höheren Schulen. Er fährt nach Wien zu dem Theoretiker Simon Sechter und wird dessen Schüler. Der Unterricht wird schriftlich und anläßlich häufiger Reisen nach Wien erteilt. Am 8. Dezember wird Bruckner nach vorangegangenem Probespiel zum Organisten am Linzer Dom ernannt. Er siedelt in die Landeshauptstadt über und gibt den Lehrerberuf zugunsten des Musikerberufs auf.

1860 Nachdem Bruckner neben seinem Orgeldienst unermüdlich bei Simon Sechter Unterricht genommen und Prüfungen abgelegt hat, übernimmt er die Leitung der Linzer Liedertafel «Frohsinn». Am 11. November stirbt seine Mutter.

1861 Bruckner legt am 19. November auf eigenen Antrag hin in Wien vor einer Kommission des Konservatoriums die offizielle Abschlußprüfung im Fach «Musiktheorie» ab. Am 21. November krönt er in der Piaristenkirche die Prüfung durch die Stegreifkomposition einer Orgelfuge nach gegebenem Thema. Zur gleichen Zeit beginnt er bei dem Linzer Kapellmeister Otto Kitzler Studien in Formenlehre und Orchesterinstrumentation zu betreiben, als deren Frucht eine Ouvertüre und zwei Sinfoniepartituren entstehen.

1863 Bruckner studiert die Partitur des «Tannhäuser» und wohnt zum erstenmal der Aufführung einer Wagnerschen Oper bei. Bei einem Sängerfest in München lernt er Dirigenten und Kritiker aus Großstädten kennen.

1864 Im Linzer Dom wird die *d-moll-Messe* uraufgeführt, das erste Werk, das zu Bruckners dauerndem Ruhm beitrug.

1865 Am 19. Juni hört Bruckner in München den «Tristan»; er lernt Wagner kennen.

1866 Bruckner beendet die Komposition der *e-moll-Messe* und der *Ersten Sinfonie.*

1867 Im Februar wird die *d-moll-Messe* unter Johann Herbeck in der Wiener Hofkapelle aufgeführt. Im Juni hält Bruckner sich für drei Monate einer Nervenkrise wegen in der Kuranstalt Bad Kreuzen auf. Am 10. September stirbt Simon Sechter.

1868 Am 4. April führt Bruckner die Schlußszene der «Meistersinger» mit der Liedertafel «Frohsinn» konzertant zum erstenmal auf, am 9. Mai leitet er in Linz die Uraufführung seiner *Ersten Sinfonie.* Im August beendet er die Komposition der *f-moll-Messe* und siedelt nach Wien über, wo er am 1. Oktober sein Amt als Lehrer für Musiktheorie und Orgelspiel antritt. Ihm wird die Anwartschaft auf das Organistenamt an der Hofkapelle bestätigt.

1869 Bruckner hat in Nancy und Paris große Erfolge als Orgelvirtuose. Die *e-moll-Messe* wird in Linz uraufgeführt.

1871 Bruckner gibt in London Orgelkonzerte.

1872 Die *Zweite Sinfonie* wird beendet, die *f-moll-Messe* in Wien uraufgeführt.

1873 Die *Dritte Sinfonie* wird beendet und Wagner gewidmet, die «Zweite» unter Bruckners Leitung am 26. Oktober in Wien uraufgeführt.

1874 Die *Vierte Sinfonie* wird beendet.

1875 Am 25. November hält Bruckner an der Wiener Universität seine Antrittsvorlesung als Lektor für Musiktheorie.

1876 Er wohnt den ersten Aufführungen von Wagners «Ring der Nibelungen» in Bayreuth bei.

1877 Bruckner leitet in Wien die erfolglose Uraufführung seiner *Dritten Sinfonie.*

1878 Beendigung der *Fünften Sinfonie.*

1879 Beendigung des Streichquintetts.

1880 Bruckner gibt Orgelkonzerte in der Schweiz.

1881 Die umgearbeitete «Vierte» wird unter Hans Richter in Wien uraufgeführt, die Komposition der «Sechsten» abgeschlossen und das Quintett uraufgeführt.

1882 Bruckner fährt zur Uraufführung des «Parsifal» nach Bayreuth, er begegnet Wagner zum letztenmal.

1883 Die Mittelsätze der «Sechsten» werden in Wien aufgeführt. Am 13. Februar stirbt Richard Wagner. Im September wird die «Siebente» abgeschlossen.

1884 Die *Siebente Sinfonie* wird am 30. Dezember in Leipzig unter Arthur Nikisch uraufgeführt.

1885 Die Münchner Aufführung der «Siebenten» unter Hermann Levi begründet den Siegeszug des Werkes.

1886 Das *Te Deum* wird in Wien unter Hans Richter uraufgeführt, der Komponist mit dem Franz-Joseph-Orden ausgezeichnet.

1887 Bruckner beendet die erste Fassung der «Achten», Hermann Levi lehnt die Aufführung ab.

1889 Am 25. Oktober sitzen sich Brahms und Bruckner im Wiener Gasthaus «Roter Igel» kontaktlos gegenüber.

1890 Bruckner muß sich wegen Krankheit vom Konservatoriumsdienst zeitweise beurlauben lassen; ihm wird ein Ehrensold der Landesregierung gewährt. Am 21. Dezember führt Hans Richter die «Dritte» in ihrer letzten Fassung auf.

1891 Bruckner geht als Konservatoriumsprofessor in Pension. Am 7. November findet die Promotion zum Ehrendokter der Universität Wien statt. Am 13. Dezember wird die «Wiener Fassung» der *Ersten Sinfonie* unter Hans Richter uraufgeführt.

1892 Komposition des *150. Psalmes.* Uraufführung der umgearbeiteten *Achten Sinfonie* unter Hans Richter am 18. Dezember.

1893 Trotz zunehmender Altersschwäche unermüdliche Arbeit an der *Neunten Sinfonie,* Komposition des Chorwerkes *Helgoland.*

1894 Bruckner fährt nach Berlin und hört Aufführungen der *Siebenten Sinfonie,* des *Te Deum* und des Streichquintetts. Am 12. November hält er seine letzte Vorlesung an der Universität, am 30. November schließt er die Komposition der *Neunten Sinfonie* ab. Das Finale bleibt Fragment.

1895 Der Kaiserliche Hof stellt ihm eine Wohnung im Schloß Belvedere zur Verfügung.

1896 Am 11. Oktober stirbt Bruckner. Sein Leichnam wird nach St. Florian übergeführt und unter der Orgel der Stiftskirche beigesetzt.

ZEUGNISSE

Johannes Brahms

Bei Bruckner handelt es sich gar nicht um die Werke, sondern um einen Schwindel, der in ein bis zwei Jahren tot und vergessen sein wird. Bruckners Werke unsterblich, oder vielleicht gar Sinfonien? Es ist zum Lachen.

Mitgeteilt in: Friedrich Klose, «Meine Lehrjahre bei Bruckner»

Richard Wagner

Der bedeutendste Sinfoniker nach Beethoven.

Wilhelm Heinrich Riehl

Pfui!

Während einer Aufführung der «Siebenten Sinfonie» in München. (im Adagio bei Buchstabe W)

Thomas Mann

Die Siebente von Bruckner, halb unsinnig, halb großartig. Adorno sprach von «Urgestein» und Horkheimer behauptete, wenn er Komponist wäre, würde er so komponieren.

In einem Brief an Erika Mann vom 8. Januar 1949

Karl Straube

Alle die Probleme, welche Bach erlebte, beeinflußt von dem Chaos der Welt, hat er innerhalb seines Wesens umgestaltet und zu einer Einheit des Gefühlskomplexes geformt, wie es vielleicht nur noch bei Mozart und Händel der Fall ist. Unter den Neueren ist es nur Bruckner, welcher die gleiche Höhe erreicht hat.

«Briefe eines Thomaskantors»

Ernst Bloch

So hat die Seele der Brucknerschen Kunst mittelalterliche Gelassenheit bewahrt, ihr geheimnisvolles «Pendeln», die ruhevoll ungeheure Kontinuität ihrer Bewegung scheint rhythmische Urgestalt zurückzustrahlen. Der Impuls und Gottzustand des mittelalterlichen Katholizismus blieb auch darin lebendig, daß diese Musik das atmende Bilden der platonisch-katholischen Geistwesen mitbeschreibt, die schwingende Ruhe am Herd jeder Produktion. Fast also scheint die anlangende Musik in der Tat einer Mathematik des göttlichen Waltens anzugehören, wie es im Spiel der Bildekräfte selber ruht.

In: H. Grues, «Von neuer Musik»

Hans Pfitzner

Ich habe neulich – besonders angeregt durch Sie – die Neunte Sinfonie von Bruckner angehört und wieder einmal mir vorgenommen, mich zu «bekehren», und so viel schön wie nur möglich daran zu finden. Vergeblich! Das Resultat war, daß ich nur noch viel bestimmter, als je zuvor, ihn als wahrhaft «Großen» ablehne, fürder keine Mühe des Aufnahmewillens mehr an ihn verschwenden und von dem Urteil anderer mich gar nicht mehr beeindrucken lassen werde. Genau wie früher nehme ich die Scherzos gewissermaßen aus, als Stücke, in denen noch Musik und Einfälle vorkommen, das übrige ist uferloses Schwelgen in Dynamik und Harmonie; – ich muß es aussprechen: er ist ein überlebensgroßer Dilettant! Ich ändere meine Meinung nicht mehr, vielleicht ändert sich aber das Urteil der Welt – ich rechne nach 15–20 Jahren.

An Walter Abendroth am 24. September 1940. In: «Reden, Schriften, Briefe»

August Halm

Die Freiheit eines höheren Reichs von göttlich gewordener Wirklichkeit, von wirklich gewordener Göttlichkeit, welches das starke Leben der Natur, der Individuen nicht nur erträgt, sondern will: ich wüßte nicht, wo das sonst, und sei es selbst in den kühnsten Phantasien irgendwelches Apokalyptikers in einem herrlicheren und festeren Bild erschaut und gestaltet wäre, als in dem letzten, dem kühnsten und reifsten Werk Anton Bruckners.

«Die Symphonie Anton Bruckners»

WERKVERZEICHNIS

Werke, die von Bruckner legitimiert wurden und die in die Praxis des Musiklebens eingingen:

1. Orchestermusik

Sinfonie Nr. 1 in c-moll	Linzer Fassung (1865/66)
	Wiener Fassung (1890/91)
Sinfonie Nr. 2 in c-moll	(1871/72) Umarbeitungen 1875–77
Sinfonie Nr. 3 in d-moll	Erste Fassung (1873)
	Zweite Fassung (1876/77)
	Dritte Fassung (1888/89)
Sinfonie Nr. 4 in Es-Dur	Erste Fassung (1873/74)
	Zweite Fassung (1878)
	Dritte Fassung (1879/80)
Sinfonie Nr. 5 in B-Dur	Erste Fassung (1875–77)
	Zweite Fassung (1878)
Sinfonie Nr. 6 in A-Dur	(1879–81)
Sinfonie Nr. 7 in E-Dur	(1881–83)
Sinfonie Nr. 8 in c-moll	Erste Fassung (1884–87)
	Zweite Fassung (1889/90)
Sinfonie Nr. 9 in d-moll	(1887–94)

2. Kammermusik

Streichquintett F-Dur	(1879)
Intermezzo d-moll für Streichquintett	(1879)

3. Vokalmusik für Soli, Chor und Orchester

Messe in d-moll	(1864) überarbeitet 1876
Messe in e-moll	(1866) überarbeitet 1882
Messe in f-moll	(1867/68) überarbeitet 1876 und 1890
Te Deum in C-Dur	(1881–83)
150. Psalm in C-Dur	(1892)

4. Vokalmusik a cappella

Ave Maria 7stimmig (1861)
Pange lingua 4stimmig (1868)
Locus iste 4stimmig (1869)
Os justi 7 stimmig (1879)
Christus factus est 5stimmig (1884)
Virga Jesse floruit 4stimmig (1885)
Vexilla regis 4stimmig (1892)

Auswahl von vor 1865 entstandenen Werken, sowie späteren Gelegenheitskompositionen:

1. Geistliche Vokalmusik

Tantum ergo Chor a cappella (1846)
Requiem in d-moll für Soli, Chor und Orchester (1847/48), bearbeitet 1895
Magnificat für Soli, Chor und Orchester (1852)
Missa solemnis für Soli, Chor und Orchester (1854)
146. Psalm für Soli, Chor und Orchester (1860)
Afferentur regi für Chor, Posaunen und Orgel (1861)
Tantum ergo für Chor a cappella (1868)
Tota pulchra est für Bariton, Chor und Orgel (1878)
Ave Maria für Alt und Orgel (1882)
Christus factus est für 6stimmigen Chor und Streicher (1884)
Ecce sacerdos für 7stimmigen Chor, Posaunen und Orgel (1885)

2. Weltliche Vokalmusik für Männerchor

Germanenzug (1863) mit Blasorchester
Herbstlied (1864) mit zwei Sopran-Soli und Klavier
Der Abendhimmel (1866)
O könnt ich dich beglücken (1868) mit Soli
Trösterin Musik (1877) mit Orgel
Abendzauber (1878) mit Hornquartett
Um Mitternacht (1886) mit Tenor-Solo
Das deutsche Lied (1892) mit Blasorchester
Helgoland (1893) mit Orchester

3. Instrumentalmusik

Erinnerung für Klavier (1856)
Streichquartett in c-moll (1861)
Ouvertüre in g-moll für Orchester (1863)
Sinfonie in f-moll (1863)
Sinfonie Nr. 0 in d-moll (1863/64) bearbeitet 1869

BRUCKNERS MUSIK AUF SCHALLPLATTEN

Die eigentümliche Stellung, die Bruckner zu seiner Zeit zwischen den Fronten einnahm, die Sonderstellung, die seine Musik im Grunde heute noch zwischen Verständnis und Mißverständnis einnimmt, spiegelt sich im Angebot der Schallplatte wider. Der Kreis der Dirigenten, die sich für Werke Bruckners einsetzen, blieb begrenzt. Bruckners Sinfonik, von den Messen oder dem Streichquintett zu schweigen, verlockt nicht zur attraktiven Interpretation, sie gewährt keine Paraderollen, an denen sich jeder Dirigent glaubt erproben zu müssen, um die er nicht herumkann. Die Bruckner-Interpreten sind fast alle berufene Bruckner-Dirigenten, die nicht von der Routine her, sondern von ganz bestimmten Vorstellungen kommend das Werk erschließen. Im heute noch angebotenen Bruckner-Repertoire der Schallplatte sind die vier geschichtlichen Phasen der Bruckner-Interpretation interessant vertreten. Hans Knappertsbusch, der bei der Decca die Sinfonien III, IV und V eingespielt hat, verkörperte im Grunde noch die erste Phase einer von der Wagner-Verehrung abgeleiteten Bruckner-Interpretation. Der Meister von St. Florian erscheint als Jünger des Bayreuther Meisters. Otto Klemperer, ein Schüler Gustav Mahlers, brachte den sachlichen Fanatismus, die inbrünstige Wahrheitssuche seines Idols auch in die Bruckner-Interpretation ein, seine Aufnahmen der Sinfonien IV, V und VI, bei Decca, Electrola und Columbia erschienen, stehen im Sog einer entromantisierten Intensität, sie haben modellhaften Wert. Sachlichkeit, Intensität und mystische Entrückung vereinigen sich in der Wiedergabe des sinfonischen Gesamtwerkes, das, durch a cappella-Chöre, die drei Messen, durch das *Te Deum* und den *150. Psalm* ergänzt, die Deutsche Grammophon Gesellschaft Eugen Jochum als dem klassischen Bruckner-Interpreten unserer Zeit anvertraut hat. Diese Gesamtausgabe ist eine Tat, vergleichbar nur der ersten zyklischen Aufführung der neun Sinfonien durch Arthur Nikisch im Konzertwinter 1919/20 in Leipzig. In der jüngeren Generation reift ein Bruckner-Dirigent ersten Ranges in dem Holländer Bernard Heitink heran, der die Sinfonien Null, II, III, IV, VII, VIII und IX bei der Philips mit unfehlbarem Instinkt für Schwingung und Form einspielte. Wilhelm Furtwängler, der sich Bruckner durch geistige Auseinandersetzung näherte, ist glücklicherweise im Repertoire der Electrola noch mit den Sinfonien VII und VIII vertreten, ebenfalls dort sein bedeutender Generationsgefährte Carl Schuricht mit den Sinfonien III und IX. Hohes Interesse durch ihre Spiritualität verdienen die Wiedergaben der Sinfonien IV und IX durch Zubin Mehta (Decca). Aufnahmen der Sinfonie I: Claudio Abbado bei Decca, Volkmar Andreae bei Amadeo und, hervorragend, Vaclav Neumann bei Decca; der Sinfonie II: Volkmar Andreae bei Amadeo und Hubert Reichert bei Turnabout; der Sinfonie III durch Karl Böhm (Decca); der Sinfonie IV durch Heinrich Hollreiser (Turnabout), Istvan Kertesz (Decca) und Erich Leinsdorf (RCA); der Sinfonie VI durch Hubert Reichert (Turnabout); der Sinfonie VII durch Eugene Ormandy (RVA), Hans Rosbaud (Turnabout), Georg Solti (Decca), George Szell (CBS); der Sinfonie VIII durch Jascha Horenstein (Turnabout), Herbert von Karajan (Electrola), Georg Solti (Decca), George Szell (CBS); und der Sinfonie IX durch Joseph Keilberth (Teldec), ergänzen ein Repertoire, das sehr differenziert, aber an kaum einer Stelle ganz schwach vertreten ist. Das frühe *Streichquartett in c-moll* wurde mit dem *Intermezzo* durch das Keller-Quartett bei Da Camera aufgenommen, ebenfalls das Streichquintett, das die Deutsche Grammophon Gesellschaft mit dem Amadeus-Quartett prominent besetzte; Cantate vertraute es dem Melos-Quartett mit erstaunlichem Gelingen an. Der Komponist der langen Sinfonien begnügt sich im Schallplattenkatalog mit eine kurzen Skala.

BIBLIOGRAPHIE

1. *Werkverzeichnis, zur Gesamtausgabe, Bibliographien*

Verzeichnis sämtlicher im Druck erschienenen Werke von Anton Bruckner. Wien o. J.

Grasberger, Fr.: Die Bruckner-Gesamtausgabe. In: Österreichische Musikzeitschrift 21/1966, S. 531–534

Keller, O.: Bruckner-Bibliographie. In: Die Musik 14/1915

Blume, Fr.: Bruckner-Bibliographie. In: Die Musik in Geschichte und Gegenwart. Bd. 2. Kassel–Basel 1952. Sp. 380–382

2. *Briefe und Dokumente*

A. Bruckner. Gesammelte Briefe. Hg. von Fr. Gräflinger. Regensburg 1924

A. Bruckner. Gesammelte Briefe. Neue Folge. Hg. von M. Auer. Regensburg 1924

A. Bruckner. 10 Briefe. Hg. und kommentiert von F. v. Lepel. Berlin-Charlottenburg 1953

Kitzler, O.: Musikalische Erinnerungen. Mit Briefen von Wagner, Brahms, Bruckner und R. Pohl. Brünn 1904

Orel, A.: Bruckner-Brevier. Briefe, Dokumente, Berichte. Wien 1953

Schalk, F.: Briefe und Betrachtungen. [Darin ungedruckte Briefe von Anton Bruckner an Franz Schalk.] Wien–Leipzig 1935

A. Bruckner. Vorlesungen über Harmonielehre und Kontrapunkt an der Universität Wien. Hg. von E. Schwanzara. Wien 1950

Lach, R.: Die Bruckner-Akten des Wiener Universitäts-Archives. Leipzig o. J.

3. *Gesamtdarstellungen*

Abendroth, W.: Bruckner. Eine Bildbiographie. München 1958

Auer, M.: Anton Bruckner. Sein Leben und Werk. Wien 1923 – 6. Aufl. 1949

Benary, P.: Anton Bruckner. Leipzig 1956

Blume, Fr.: Josef Anton Bruckner. In: Die Musik in Geschichte und Gegenwart. Bd. 2. Kassel–Basel 1952. Sp. 341–382

Brunner, Fr.: Dr. Anton Bruckner. Ein Lebensbild. Linz 1895

Daninger, J.: Anton Bruckner. Wien 1924

Decsey, E.: Bruckner. Versuch eines Lebens. Berlin 1919

Doernberg, E.: Anton Bruckner. Leben und Werk. München 1963
The life and symphonies of Anton Bruckner. London 1960

Engel, G.: The life of Anton Bruckner. New York 1931

Gerstenberg, W.: Josef Anton Bruckner. In: Neue Deutsche Biographie. Bd. 2. Berlin 1955. S. 649–652

Göllerich, A.: Anton Bruckner. Ein Lebens- und Schaffensbild. Bd. 1. Regensburg 1922 – Bd. 2–4. Hg. von M. Auer. Regensburg 1928–1936

Gräflinger, Fr.: Anton Bruckner. Bausteine zu seiner Lebensgeschichte. München 1911 – Erw. Umarb. Berlin 1927
Anton Bruckner, sein Leben und seine Werke. Regensburg 1921

Gräner, G.: Anton Bruckner. Leipzig 1924

Grüninger, F.: Der Ehrfürchtige. Anton Bruckners Leben, dem Volk erzählt. Freiburg i. B. 1935

Grunsky, K.: Anton Bruckner. Stuttgart 1922

Haas, R.: Anton Bruckner. Potsdam 1934
Hebenstreit, J.: Anton Bruckner. Dülmen 1937
Koehn, V.: Richard Wagner und Anton Bruckner. In: Deutsche Musikkultur 2/1937
Kurth, E.: Anton Bruckner. 2 Bde. Berlin 1925
Lassl, J.: Das kleine Brucknerbuch. Salzburg 1972
Laux, K.: Anton Bruckner. Leben und Werk. Leipzig 1940
Louis, R.: Anton Bruckner. Berlin 1904
Machabey, A.: La vie et l'œuvre d'Anton Bruckner. Paris 1945
Morold, M.: Anton Bruckner. Leipzig 1912
Nowak, L.: Anton Bruckner. Musik und Leben. Wien 1964
Orel, A.: Anton Bruckner. Altötting 1926
Anton Bruckner 1824–1896. Sein Leben in Bildern. Leipzig 1936
Paap, W.: Anton Bruckner, zijn land, zijn leven en zijn kunst. Bilthoven 1936
Rappaport, L.: Anton Bruckner. Moskau 1963
Redlich, H. F.: Anton Bruckner. In: Grove's Dictionary of Music and Musicians. Bd. 1. 5. Aufl. London 1954. S. 969–976
Rietsch, H.: Dr. Anton Bruckner. Berlin 1898
Steinitzer, M.: Was weißt du von Bruckner? Leipzig 1931
Tessmer, H.: Anton Bruckner. Eine Monographie. Regensburg 1922
Vassenhove, L. van: Anton Bruckner. Neuchâtel 1942
Westarp, A.: Antoine Bruckner, l'homme et l'œuvre. Paris 1912
Wetz, R.: Anton Bruckner. Sein Leben und Schaffen. Leipzig 1923
Wiora, W.: Anton Bruckner. 1824–1896. In: Die Großen Deutschen. Begr. von W. Andreas und W. v. Scholz. 1936. Hg. von H. Heimpel, Th. Heuss, B. Reifenberg. Bd. 4. Berlin 1961. S. 60–70
Zentner, W.: Anton Bruckner. München 1946

4. Biographische Einzelthemen

Graf, M.: Anton Bruckners erste Entwicklung (1824–1868). In: Musikbuch aus Österreich. 8/1911
Grasberger, Fr.: Anton Bruckners Auslandsreisen. In: Österreichische Musikzeitschrift 24/1969, S. 630–635
Hollnsteiner, J.: Das Stift St. Florian und Anton Bruckner. Bilder zur deutschen Kultur- und Kunstgeschichte. Leipzig 1940
Huemer, G.: Die Pflege der Musik im Stifte Kremsmünster. Kulturhistorischer Beitrag zur 11. Saecularfeier. Wels 1877
Kellner, A.: Musikgeschichte des Stiftes Kremsmünster. Kassel–Basel 1956
Linninger, F.: Orgeln und Organisten im Stifte St. Florian. In: Oberösterreichische Heimatblätter 9/1955
Nowak, L.: Das Bruckner-Gedenkzimmer im Stift St. Florian. In: Österreichische Musikzeitschrift 26/1971, S. 386–388
Schulten, W.: Über die Bedeutung der St. Florianer Jahre Anton Bruckners (1845–1855). Hg. von C. M. Brand. Aachen 1960
Schwanzara, E.: Anton Bruckner als Lektor für Harmonielehre und Kontrapunkt an der Universität Wien. In: Musikerziehung 3/1949/50, S. 7–11
Wessely, O.: Anton Bruckner und Linz. In: Jahrbuch der Stadt Linz. 1954

5. Persönliche Erinnerungen an Anton Bruckner

Eckstein, Fr.: Erinnerungen an Anton Bruckner. Wien 1924
Gruber, J.: Meine Erinnerungen an Dr. Anton Bruckner. Einsiedeln 1929

Hruby, C.: Meine Erinnerungen an Anton Bruckner. Wien 1901
Klose, Fr.: Meine Lehrjahre bei Bruckner. Erinnerungen und Betrachtungen. Regensburg 1925
Kraus, F. von: Begegnungen mit Anton Bruckner, Johannes Brahms, Cosima Wagner. Aus den Lebenserinnerungen. Wien 1961
Krüger, J.: Schlichte Erinnerungen an Anton Bruckner. Wien 1910
Nikisch, A.: Bruckner-Erinnerungen. Neues Wiener Journal, 11. Oktober 1919
Oberleithner, M. von: Meine Erinnerungen an Anton Bruckner. Regensburg 1933

6. Die Werke

a) Die Symphonien

Abendroth, W.: Die Symphonien Anton Bruckners. Einführungen. Berlin 1940
Blume, Fr.: Anton Bruckners symphonisches Werk. In: Universitas 7/1952, S. 709–716
Einstein, A.: Nationale und universale Musik. Neue Essays. [Darin: Zu Anton Bruckners 4. Sinfonie.] Zürich–Stuttgart 1958
Floros, C.: Kommentare zu Bruckners 9 Symphonien auf Schallplattenhüllen [Deutsche Grammophon Gesellschaft, Dir.: Eugen Jochum]
Gläser, R.: Zum sinfonischen Schaffen von Anton Bruckner: In: Musica 12/1958, S. 191–195
Grebe, K.: Bruckners neun Sinfonien. In: Neue Zeitschrift für Musik 118/1957, S. 547–552
Grunsky, H. A.: Formenwelt und Sinngefüge in den Bruckner-Symphonien 2 Bde. o. O. 1931
Das Formproblem in Anton Bruckners Symphonien. Augsburg 1929
Der erste Satz von Bruckners Neunter, ein Bild höchster Formvollendung. In: Die Musik 18/1925/26, S. 21–34, 104–112
Bruckners Symphonien. Berlin 1908
Halm, A.: Die Symphonie Anton Bruckners. München 1914
Knab, A.: Bruckner. 5. Symphonie. Wien 1922
Kretzschmar, H.: Führer durch den Concertsaal. Bd. I. [Darin: Anton Bruckner. Sinfonien.] 3. Aufl. Leipzig 1898. S. 652–675
Krohn, I. H. R.: Anton Bruckners Symphonien. Untersuchung über Formenbau und Stimmungsgehalt. 3 Bde. Helsinki–Wiesbaden 1955–1957
Lang, O.: Die Entwürfe zum Finale der 9. Symphonie Anton Bruckners. In: Allgemeine Musikzeitung 61/1934, S. 719–720
Die Thematik der VII. Sinfonie Anton Bruckners. In: Die Musik 21/1928/29, S. 445–447
Niemann, W.: Anton Bruckner. 5. Symphonie. Leipzig 1907
Orel, A.: Anton Bruckner. Entwürfe und Skizzen zur IX. Symphonie. Wien 1934
Petschnig, E.: Zum Bruckner-Streit. Die Instrumentation der IX. Symphonie. In: Allgemeine Musikzeitung 63/1936, S. 559–561
Redlich, H. F.: Bruckner's forgotten Symphony (Nr. 0). In: Music Survey 2/1949
Rietsch, H.: Anton Bruckner. 9. Symphonie. 2. Aufl. Leipzig 1906
Schiske, K.: Zur Dissonanzverwendung in den Symphonien Anton Bruckners. [Diss.] Wien 1940

SCHWEBSCH, E.: Anton Bruckners VI. Symphonie A-dur. Stuttgart 1953
SIMPSON, R.: Bruckner and the symphony. In: Music Review 8/1947
SPANJAARD, M.: De symphonie von Anton Bruckner. Den Haag 1934
TOVEY, D. FR.: Essays in musical analysis. Vol. II. [Darin: Romantic symphony in e flat no. 4. S. 69–79. Symphony im A Major No. 6. S. 79–84.] London 1935 – 10. Aufl. 1966
UNGER, H.: Anton Bruckner und seine VII. Symphonie. Bonn 1944
VOSS, E.: Bruckners Sinfonien in ihrer Beziehung zur Messe. In: Schallplatte und Kirche 1969, S. 103–109
WESTARP, A.: L'âme des neuf symphonies d'Antoine Bruckner. In: Revue Musicale de Lyon, 1911
WICKENHAUSER, R.: Anton Bruckners Symphonien [und Te Deum]. 3 Bde. Leipzig 1926–1927
WIENINGER, H.: Das Finale von Bruckners V. Symphonie. In: Musik-Erziehung 24/1970/71, S. 9–13
WILCOX, J. H.: The symphonies of Anton Bruckner. [Diss.] Tallahassee (Florida) 1956
WIRGENHAUSER, R.: Anton Bruckners Symphonien, ihr Werden und Wesen. 3 Bde. Leipzig 1927
WOHLFAHRT, FR.: Anton Bruckners sinfonisches Werk. Stil- und Formerläuterungen. Leipzig 1943
WOLFURT, K. VON: Die Form der Brucknerschen Symphonie. In: Neue Musikzeitung, 1921

b) Die Kirchenmusik

AUER, M.: Anton Bruckner als Kirchenmusiker. Regensburg 1927
Anton Bruckners Kirchenmusik. I. Die kleinen kirchlichen Werke. In: Musica Divina 1/1913 – II. Die großen kirchlichen Werke. In: Musica Divina 2/1914, S. 223–227, 408–412, 426–430. Forts. 3/1915, S. 74–77, 106–107, 179–185
GRIESBACHER, P.: Bruckners Te Deum. Regensburg 1919
KRETZSCHMAR, H.: Führer durch den Concertsaal. Bd. II. [Darin: Anton Bruckner. Te Deum.] 2. Aufl. Leipzig 1895. S. 300–304
MÜNCH, F.: La musique réligieuse de Bruckner. Paris 1928
NOWAK, L.: Die Messe in f-moll von Anton Bruckner. In: Österreichische Musikzeitschrift 15/1960
OCHS, S.: Anton Bruckner, «Te Deum». Stuttgart 1896
SCHMIDT, K.: Das Tedeum von Anton Bruckner. In: Musikerziehung 17/1964, 164–168
SCHOLZ, H.-G.: Die Form der reifen Messen Anton Bruckners. Berlin 1961
SINGER, K.: Bruckner als Kirchenkomponist. Stuttgart 1923
WICKENHAUSER, R.: Anton Bruckners [Symphonien und] Te Deum. 3 Bde. Leipzig 1926–1927

c) Sonstiges

ABERT, A. A.: Die Behandlung der Instrumente in Bruckners Streichquintett. In: Deutsche Musikkultur 5/1940
BÖTTCHER, L.: Ein bedeutsamer Brucknerfund. [Unbekannte Klavierwerke.] In: Neue Musikzeitung 3/1949, S. 177–178
Unbekannte Klavierwerke von Anton Bruckner. In: Das Musikleben 2/1949, S. 236–237
FISCHER, W.: Die Entwicklungsgeschichte der Fuge Bruckners. Wien 1924

Funtek, L.: Brucknerиana. Leipzig 1910
Knepler, G.: Das Werk Anton Bruckners. In: Musik und Gesellschaft 7/1957, S. 261–266
Lang, O.: Die Thematik Anton Bruckners. In: Deutsche Musikkultur 4/1939
Nowak, L.: Form und Rhythmus im ersten Satz des Streichquintetts von Anton Bruckner. In: Festschrift Hans Engel. 1964. S. 260–273
Symphonischer und kirchlicher Stil bei Anton Bruckner. In: Festschrift Karl Gustav Fellerer. 1962. S. 391–401
Orel, A.: Unbekannte Frühwerke Anton Bruckners. Wien 1921
Singer, K.: Bruckners Chormusik. Stuttgart–Berlin 1924
Vetter, W.: Das Adagio bei Anton Bruckner. In: Deutsche Musikkultur 5/1940
Wagner, M.: Die Melodien Bruckners in systematischer Ordnung. Ein Beitrag zur Melodiegeschichte des 19. Jahrhunderts. [Diss.] Wien 1970

d) Das Problem der Originalfassung

Armbruster, E. T. A.: Erstdruck oder «Originalfassung»?. Leipzig 1946
Auer, M.: Der Streit um den «echten» Bruckner. In: Zeitschrift für Musik 53/1936, S. 538–546
Auer, M., R. Pergler und H. Weisbach: Anton Bruckner. Wissenschaftliche und künstlerische Betrachtungen zu den Originalfassungen. Wien [1937]
Herzfeld, Fr.: Bruckner in der Urfassung. In: Allgemeine Musikzeitung, 1936, S. 413–414
Nowak, L.: Anton Bruckners Achte Symphonie und ihre zweite Fassung. In: Österreichische Musikzeitschrift 10/1955, S. 157–160
Oeser, Fr.: Klangstruktur der Bruckner-Sinfonie, eine Studie zur Frage der Originalfassungen. Leipzig 1939
Orel, A.: Original und Bearbeitung bei Bruckner. In: Deutsche Musikkultur 1/1936

7. Wesen und Wirkung

Abendroth, W.: Deutsche Musik der Zeitwende. Eine kulturphilosophische Persönlichkeitsstudie über Anton Bruckner und Hans Pfitzner. Hamburg 1937
Vier Meister der Musik. Bruckner, Mahler, Reger, Pfitzner. München 1952
Dohnert, M.: Anton Bruckner. Versuch einer Deutung. Leipzig 1958
Furtwängler, W.: Ton und Wort. Aufsätze und Vorträge 1918–1954. [Darin: Anton Bruckner.] Wiesbaden 1954. S. 102–120
Johannes Brahms. Anton Bruckner. Leipzig 1942
Meyer, W.: Chopin, Brahms, Bruckner, Reger. Bielefeld 1920
Grüninger, Fr.: Anton Bruckner, der metaphysische Kern seiner Persönlichkeit und Werke. Augsburg 1930
Der Meister von Sankt Florian, Wege zu Anton Bruckner. Augsburg 1950
Grunsky, H.: Rang und Wesen der Musik Anton Bruckners. In: Musica 18/1964, S. 190–197
Hengel, W. von [d. i. N. Poeser]: Anton Bruckner. Haarlem 1951
Huschke, K.: Johannes Brahms, Anton Bruckner und Hugo Wolf. Pritzwalk 1928
Knab, A.: Bach, Beethoven, Bruckner. In: Musica 3/1949, S. 316–320
Knapp, A.: Anton Bruckner. Zum Verständnis seiner Persönlichkeit und seiner Werke. Düsseldorf 1921

KOBALD, K.: In memoriam Anton Bruckner. Wien 1942
LACH, R.: Bruckners Bedeutung im deutschen Geistesleben. München 1935
LANG, O.: Anton Bruckner. Wesen und Bedeutung. München 1924
LAUFER, J.: Anton Bruckner. In: La revue musicale 223/1954, S. 3–15
LIESS, A.: Anton Bruckners Gestalt und Werk. In: Universitas 16/1961, S. 31–42
LOERKE, O.: Anton Bruckner. Ein Charakterbild. Berlin 1938
NEWLIN, D.: Bruckner – Mahler – Schoenberg. New York 1947
NOWAK, L.: Te Deum laudamus. Gedanken zur Musik Anton Bruckners. Wien 1947
OREL, A.: Anton Bruckner. Das Werk, der Künstler, die Zeit. Wien 1925
REFARDT, E.: Brahms, Bruckner, Wolf. Drei Wiener Meister des 19. Jahrhunderts. Basel 1949
REICH, W.: Anton Bruckner. Ein Bild seiner Persönlichkeit. Basel 1953
SCHENK, E.: Um Bruckners Persönlichkeit. Wien 1951
SCHWEBSCH, E.: Anton Bruckner. Ein Beitrag zur Erkenntnis von Entwicklungen in der Musik. Stuttgart 1921
SHARP, G.: Anton Bruckner. Simpleton or mystic? In: Music Review 3/1942
SITTNER, H.: Anton Bruckner heute. In: Österreichische Musikzeitschrift 15/1960, S. 425–428
WIORA, W.: Anton Bruckner oder Über das Ewige in der Musik. Freiburg i. B. 1948
WOHLFAHRT, F.: Der Ur-Bruckner. In: Deutsche Musikkultur 2/1937
WOLFF, W.: Anton Bruckner. Genie und Einfalt. Zürich 1948

8. Einzelne Probleme

COOKE, D.: The Bruckner problem simplified. In: The Musical Times 110/1969, S. 20–22, 142–144, 362–365, 479–482, 828
DAHLHAUS, C.: Bruckner und der Barock. In: Neue Zeitschrift für Musik 124/1963, S. 335–336
DANCKERT, W.: Bruckner und das Natursymbol. In: Die Musik 30/1937/38, S. 306–309
ELLER, R.: Bruckner und Bach. In: Bericht über die wissenschaftliche Bachtagung der Gesellschaft für Musikforschung. Leipzig 1950. S. 355–366
FIECHTNER, H. A.: Anton Bruckner als Lehrer. In: Österreichische Musikzeitschrift 6/1951, S. 215–216
GRÄFLINGER, FR.: Anton Bruckner, seine Verleger und Honorare. In: Schweizer Musikzeitung 92/1952, S. 408–412
GRANT, P.: Bruckner and Mahler. The fundamental dissimilarity of their styles. In: The Music Review 32/1971, S. 36–55
GRUNSKY, K.: Fragen der Bruckner-Auffassungen. Stuttgart 1936
HASTING, J.: Die Einheit der Musik bei Anton Bruckner und die Musikästhetik. In: Musik und Altar 4/1951, S. 44–49
KIRSCH, W.: Studien zum Vokalstil der mittleren und späten Schaffensperioden Anton Bruckners. [Diss.] Frankfurt a. M. 1958
KÖBERLE, A.: Bach, Beethoven, Bruckner als Symbolgestalten des Glaubens. Berlin 1936
KÖNIG, W.: Anton Bruckner als Chormeister. Linz 1936
KORTE, W. F.: Bruckner und Brahms. Die spätromantische Lösung der autonomen Konzeption. Tutzing 1963
KURTHEN, W.: Liszt und Bruckner als Kirchenkomponisten. In: Musica Divina 13/1925

NOWAK, L.: Probleme bei der Veröffentlichung von Skizzen. Dargestellt an einem Beispiel von Anton Bruckner. In: Anthony van Hoboken. Festschrift. 1962
PERL, K. J.: Christliche Musik und Anton Bruckner. Straßburg 1937
PLESSKE, H.-M.: Anton Bruckner in der erzählenden Literatur. In: Kunstjahrbuch der Stadt Linz. 1961. S. 63–71
QUOIKA, R.: Bruckners geistige Welt. Zum historischen Standpunkt der e-moll-Messe. In: Musik und Altar 4/1952, S. 116–121
REDLICH, H. F.: Bruckner and Mahler. London–New York 1963
ULLRICH, H.: Ein unbekannter Brief Anton Bruckners. Episoden aus dem Kampf des Meisters um Anerkennung. In: Österreichische Musikzeitschrift 8/1953, S. 371–376
WAGNER, K.: Bruckners Themenbildung als Kriterium seiner Stilentwicklung. In: Österreichische Musikzeitschrift 25/1970, S. 159–165

9. Fest- und Gedenkschriften und ähnliches

Chord and Discord. Zeitschrift der Bruckner-Society of America. Hg. von G. ENGEL. 1/1947 f [Behandelt fast ausschließlich Bruckners und Mahlers Werke.]
Bruckner-Blätter. Mitteilungen der Internationalen Bruckner-Gesellschaft. Augsburg 1929 f
Bruckner-Fest 1919. Hg. von M. MOROLD. Wien 1919
Bruckner-Festbuch. Hg. von K. GRUNSKY. Stuttgart 1921
GRÜNINGER, FR.: Wege zu Anton Bruckner. Erinnerungsblätter zu seinem 40. Todestag. Karlsruhe 1936
In Memoriam Anton Bruckner. Festschrift zum 100. Geburtstag Anton Bruckners. Hg. von K. KOBALD. Leipzig 1924
LUCKA, E.: Das Brausen der Berge. Zum 100. Geburtstag Anton Bruckners. Berlin 1924
MOSER, H. J.: Bruckner und Mozart. Programmbuch der Berliner Kunstwochen. Berlin 1940
NOWAK, L.: Das Bruckner-Erbe der Österreichischen Nationalbibliothek. Zu Anton Bruckners 70. Todestag. In: Österreichische Musikzeitschrift 21/1966, S. 526–531
Anton Bruckner und Linz. Ausstellung im Steinernen Saal des Landhauses zu Linz. 20. Juni bis 11. Oktober 1964. Katalog. Verantw.: L. NOWAK. Linz 1964
Bruckner-Studien. Internationale Bruckner-Gesellschaft. Leopold Nowak zum 60. Geburtstag. Hg. von FR. GRASBERGER. Wien 1964 [Darin:
W. BOETTICHER: Zur Kompositionstechnik des späten Bruckner. S. 11–19
K. G. FELLERER: Bruckners Persönlichkeit. S. 21–26
K. GEIRINGER: Anton Bruckners Vorbilder. S. 27–31
FR. GRASBERGER: Anton Bruckners Arbeitsweise. S. 33–37
W. HESS: Die Gesamtausgabe der Werke Anton Bruckners. S. 39–44
H. JANCIK: Anton Bruckner in seiner Kammermusik. S. 45–51
E. JOCHUM: Zur Interpretation der Fünften Symphonie von Anton Bruckner. S. 53–59
A. KELLNER: Der Organist Anton Bruckner. S. 61–65
FR. KOSCH: «Der Beter Anton Bruckner». Nach seinen persönlichen Aufzeichnungen. S. 67–73
H. KRONSTEINER: Bruckners Kirchenmusik und die Liturgie. S. 75–82

Fr. Racek: Ein neuer Text zu Bruckners «Vaterländischem Weinlied»? S. 83–86
H. F. Redlich: Das programmatische Element bei Bruckner. S. 87–97
H. Sittner: Anton Bruckner und die Gegenwart. S. 99–104
E. Tittel: Bruckners musikalischer Ausbildungsgang. S. 105–111
W. Waldstein: Bruckner als Lehrer. S. 113–120
A. Weinmann: Anton Bruckner und seine Verleger. S. 121–138]
Musica divina. Hg. von der Schola Austriaca. 12. Nr. 3 [Sondernummer: Bruckner]. Wien 1924 [Darin:
J. Kluger: Bruckners Leidensweg. S. 67–72
Fr. Moissl: Seine kirchenmusikalischen Widersacher. S. 73–78
M. Auer: Bruckners Messe und die überkommene Form. S. 80–85
O. Seifert: Durchchristete Musik. S. 85–87
Fr. Gräflinger: Aus Bruckners Briefen. S. 87–92
E. Decsey u. v. a.: Warum ich Bruckner liebe. S. 93–107]
Die Musik 6/1906/07 [Bruckner-Heft. Darin:
A. Halm: Über den Wert der Brucknerschen Musik. S. 3–20
R. Louis: Anton Bruckner in Frankfurt und England. S. 21–27
M. Morold: Das Brucknersche Finale. S. 28–35
A. Göllerich: Anton Bruckners 114. Psalm. S. 36–45
A. Püringer: Bruckner-Sisyphus!. S. 46–60]
Neue Musik-Zeitung 23/1902 [Bruckner-Nummer. Darin:
K. Grunsky: Bruckners Leben. S. 165–166
Fr. Lange: Die Anerkennung Bruckners. S. 166–168
H. Rietsch: Ein Accord in Bruckners neunter Symphonie. S. 168
W. Schmid: Erinnerungen an Anton Bruckner. S. 168–170
A. Halm: Melodie, Harmonie und Themenbildung bei Anton Bruckner. S. 170, 174 (Forts. S. 196–198, 211–213, 227–228)
G. Göhler: Anton Bruckners e-moll-Messe. S. 174–176
M. Kiel: Ist Bruckner formlos?. S. 176
K. Grunsky: Bruckner als Symphoniker. S. 177–178
M. Graf: Bruckner in der Anekdote. S. 178–179
R. Louis: Anton Bruckner. Der Mann und sein Werk. S. 180–181 (Forts. S. 200–201, 215–217)]
Zeitschrift für Musik 99/1932 [Bruckner-Heft. Darin:
A. Stradal: Erinnerungen aus Bruckners letzter Zeit. S. 853–859
I. Deeko: Bruckner. S. 860
M. Auer: Anton Bruckners IX. Symphonie in der Originalfassung. S. 861–864
Th. Kroyer: Die authentische Bruckner-Biographie. S. 864–867
P. Ehlers: Siegmund von Hausegger als Bruckner-Dirigent. S. 867–870
H. Unger nach V. v. Wöss: Neues von Anton Bruckner. S. 871–873
O. Lang: Bruckner-Fahrt nach St. Florian. S. 873–878
A. Pohl: Anton Bruckner in Bayreuth. S. 878–880
O. Lang: Anton Bruckner im zeitgenössischen Briefwechsel. S. 880–881
Fr. X. Osterrieder: Bruckneriana im Nachlaß Anton Hager?. S. 881–882]

NAMENREGISTER

Die kursiv gesetzten Zahlen bezeichnen die Abbildungen

ÜBER DEN AUTOR

KARL GREBE, geboren am 29. April 1901 in Jena, studierte Musik in Weimar, Zürich und Berlin. Mitte der zwanziger Jahre begann er sich mit der Aufführungspraxis «Alter Musik» zu beschäftigen und wurde Mitglied eines Barock-Ensembles. Vom Frühjahr 1941 bis Kriegsende war er Soldat. Seine Erlebnisse bei der Wehrmacht schrieb er in dem Buch «Militärmusik» nieder, das 1958 im Paul List Verlag erschien. In Hamburg, seinem heutigen Wohnsitz, war er Leiter der Musikbücherei bei den Hamburger Öffentlichen Bücherhallen. Musikalisch betätigte er sich als künstlerischer Leiter der Hamburger Telemann-Gesellschaft und als Cembalist. An der Zeitung «Die Welt» arbeitet er als Musikkritiker, an der Musikhochschule und der Bibliothekarschule wirkt er als Dozent.

QUELLENNACHWEIS DER ABBILDUNGEN

Österreichische Nationalbibliothek, Wien: 20, 52/53, 87, 92, 101 / Staatsbibliothek, Berlin: 8, 31, 39, 42, 43, 46, 58, 63, 67, 70, 75, 81, 82, 84, 95, 96 / Musikbücherei, Hamburg: 11, 32, 78, 105 oben, 133 / Archiv für Kunst und Geschichte, Berlin-Nikolassee: 6, 29, 34/35, 38, 44, 48, 57, 64, 68, 99, 103, 105 unten, 107 / Historia-Photo, Bad Sachsa: 12, 16, 19, 40, 47, 88, 90, 91, 93 / Amalthea-Verlag, Wien: 22, 34, 36, 61, 62, 86, 100, 130 / Slg. Karl Grebe: 94, 106, 108, 109, 110, 111, 112, 113, 118, 125, 126, 132 / Rowohlt Archiv: 15

rowohlts monographien

BEDEUTENDE PERSÖNLICHKEITEN
DARGESTELLT IN SELBSTZEUGNISSEN UND BILDDOKUMENTEN
HERAUSGEGEBEN VON KURT KUSENBERG

LITERATUR

ANDERSEN / Erling Nielsen [5]

APOLLINAIRE / Pascal Pia [54]

BAUDELAIRE / Pascal Pia [7]

BECKETT / Klaus Birkenhauer [176]

BENN / Walter Lennig [71]

BERNANOS / Albert Béguin [10]

WOLFGANG BORCHERT / Peter Rühmkorf [58]

BRECHT / Marianne Kesting [37]

BÜCHNER / Ernst Johann [18]

WILHELM BUSCH / Joseph Kraus [163]

CAMUS / Morvan Lebesque [50]

CLAUDEL / Paul-André Lesort [95]

COLETTE / Germaine Beaumont und André Parinaud [11]

DANTE / Kurt Leonhard [167]

DOSTOJEVSKIJ / Janko Lavrin [88]

DROSTE-HÜLSHOFF / Peter Berglar [130]

EICHENDORFF / Paul Stöcklein [84]

THOMAS STEARNS ELIOT / Johannes Kleinstück [119]

FONTANE / Helmuth Nürnberger [145]

GIDE / Claude Martin [89]

GOETHE / Peter Boerner [100]

HAUPTMANN / Kurt Lothar Tank [27]

HEBBEL / Hayo Matthiesen [160]

HEINE / Ludwig Marcuse [41]

HEMINGWAY / G.-A. Astre [73]

HERMANN HESSE / Bernhard Zeller [85]

HÖLDERLIN / Ulrich Häussermann [53]

E. T. A. HOFFMANN / Gabrielle Wittkop-Ménardeau [113]

HOFMANNSTHAL / Werner Volke [127]

JOYCE / Jean Paris [40]

KAFKA / Klaus Wagenbach [91]

KELLER / Bernd Breitenbruch [136]

KLEIST / Curt Hohoff [1]

LESSING / Wolfgang Drews [75]

MAJAKOWSKI / Hugo Huppert [102]

HEINRICH MANN / Klaus Schröter [125]

THOMAS MANN / Klaus Schröter [93]

HENRY MILLER / Walter Schmiele [61]

CHRISTIAN MORGENSTERN / Martin Beheim-Schwarzbach [97]

MÖRIKE / Hans Egon Holthusen [175]

ROBERT MUSIL / Wilfried Berghahn [81]

NESTROY / Otto Basil [132]

NOVALIS / Gerhard Schulz [154]

POE / Walter Lennig [32]

RAABE / Hans Oppermann [165]

RILKE / Hans Egon Holthusen [22]

ERNST ROWOHLT / Paul Mayer [139]

SAINT-EXUPÉRY / Luc Estang [4]

SARTRE / Walter Biemel [87]

SCHILLER / Friedrich Burschell [14]

FRIEDRICH SCHLEGEL / Ernst Behler [123]

SHAKESPEARE / Jean Paris [2]

G. B. SHAW / Hermann Stresau [59]

STIFTER / Urban Roedl [86]

STORM / Hartmut Vinçon [186]

DYLAN THOMAS / Bill Read [143]

TRAKL / Otto Basil [106]

TUCHOLSKY / Klaus-Peter Schulz [31]

KARL VALENTIN / Michael Schulte [144]

OSCAR WILDE / Peter Funke [148]

PHILOSOPHIE

ENGELS / Helmut Hirsch [142]
GANDHI / Heimo Rau [172]
HEGEL / Franz Wiedmann [110]
HERDER / Friedr. W. Kantzenbach [164]
JASPERS / Hans Saner [169]
KANT / Uwe Schultz [101]
KIERKEGAARD / Peter P. Rohde [28]
MARX / Werner Blumenberg [76]
MONTAIGNE / Francis Jeanson [21]
NIETZSCHE / Ivo Frenzel [115]
PASCAL / Albert Béguin [26]
PLATON / Gottfried Martin [150]
SCHLEIERMACHER / Friedrich Wilhelm Kantzenbach [126]
SCHOPENHAUER / Walter Abendroth [133]
SOKRATES / Gottfried Martin [128]
SPINOZA / Theun de Vries [171]
RUDOLF STEINER / J. Hemleben [79]
VOLTAIRE / Georg Holmsten [173]
SIMONE WEIL / A. Krogmann [166]

RELIGION

SRI AUROBINDO / Otto Wolff [121]
KARL BARTH / Karl Kupisch [174]
JAKOB BÖHME / Gerhard Wehr [179]
MARTIN BUBER / Gerhard Wehr [147]
BUDDHA / Maurice Percheron [12]
FRANZ VON ASSISI / Ivan Gobry [16]
JESUS / David Flusser [140]
LUTHER / Hanns Lilje [98]
PAULUS / Claude Tresmontant [23]
TEILHARD DE CHARDIN / Johannes Hemleben [116]

GESCHICHTE

BISMARCK / Wilhelm Mommsen [122]
CAESAR / Hans Oppermann [135]
CHURCHILL / Sebastian Haffner [129]
FRIEDRICH II. / Georg Holmsten [159]
GUTENBERG / Helmut Presser [134]
HO TSCHI MINH / Reinhold Neumann-Hoditz [182]
WILHELM VON HUMBOLDT / Peter Berglar [161]
LENIN / Hermann Weber [168]
ROSA LUXEMBURG / Helmut Hirsch [158]
MAO TSE-TUNG / Tilemann Grimm [141]
NAPOLEON / André Maurois [112]
RATHENAU / Harry Wilde [180]
KURT SCHUMACHER / H. G. Ritzel [184]
LEO TROTZKI / Harry Wilde [157]

PÄDAGOGIK

PESTALOZZI / Max Liedtke [138]

NATURWISSENSCHAFT

DARWIN / Johannes Hemleben [137]
GALILEI / Johannes Hemleben [156]
ALEXANDER VON HUMBOLDT / Adolf Meyer-Abich [131]
KEPLER / Johannes Hemleben [183]

MEDIZIN

FREUD / Octave Mannoni [178]
C. G. JUNG / Gerhard Wehr [152]
PARACELSUS / Ernst Kaiser [149]

KUNST

DÜRER / Franz Winzinger [177]
MAX ERNST / Lothar Fischer [151]
KLEE / Carola Giedion-Welcker [52]
LEONARDO DA VINCI / Kenneth Clark [153]

MUSIK

BACH / Luc-André Marcel [83]
BEETHOVEN / F. Zobeley [103]
CHOPIN / Camille Bourniquel [25]
HÄNDEL / Richard Friedenthal [36]
FRANZ LISZT / Everett Helm [185]
MAHLER / Wolfgang Schreiber [181]
MOZART / Aloys Greither [77]
OFFENBACH / Walter Jacob [155]
SCHUMANN / André Boucourechliev [6]
RICHARD STRAUSS / Walter Deppisch [146]
TELEMANN / Karl Grebe [170]
VERDI / Hans Kühner [64]
WAGNER / Hans Mayer [29]

Zu beziehen durch Ihre Buchhandlung.
Ein ausführliches Verzeichnis aller lieferbaren Taschenbücher fordern Sie bitte vom Rowohlt Taschenbuch Verlag, 2057 Reinbek bei Hamburg.